小說人物叢書

總策劃◇簡媜

實學社

小說人物 5
秦始皇大傳
[卷五·亢龍有悔]

作　　者／李　約
總 策 劃／簡　媜
主　　編／劉玲君
封面繪圖／陳　濤（秦始皇造型徵獎得獎人）
美術設計／黃清在
發 行 人／周浩正
出 版 者／實學社出版股份有限公司
台北市師大路一八九號六樓
電話：(02)369-5491　傳眞：(02)365-6840
郵撥帳號：18380289　創社日期：1994. 11. 19

排　　版／正豐電腦排版有限公司
印　　刷／鴻柏印刷事業有限公司
電話：(02)365-5808

總 經 銷／吳氏圖書有限公司
電話：(02)303-4150　傳眞：(02)305-0943
法律顧問／蕭雄淋律師
電話：(02)367-7575　傳眞：(02)369-2525

初版一刷／一九九五(民84)年三月一日
初版五刷／一九九五（民84）年四月一日
ISBN／957-9175-06-3(平裝)
957-9175-12-8（精裝）
定　　價／250元（平裝，一冊。）
2000元（精裝，全五卷，不分售。）

行政院新聞局局版臺業字第6433號

【小說人物5】

秦始皇大傳

李約◎著

一個出版社的夢

〈小說人物〉叢書出版緣起

歷史是文明的基石，亦是永恆智產。它既以時空爲經緯，標示一個民族自萌發而壯闊的記憶長牆，又允許現代人超越種族、國界與語系，展開多面向的研發與轉化。我們相信，歷史不是沉重之軛，它所累聚的巨大寶藏，恰能爲一個追求活化和轉型的社會帶來智識能源與視野格局。歷史如鏡，作爲一個出版者，我們願意秉持謙恭之心與雍容大度的胸襟，邀集讀者一起與我們巡視歷史，用現代的眼界與識見，觀歷代興衰之理，察亂世與治世之律，窺文明躍進之道，析人性慾求之則，更追蹤億萬生靈於他們僅有的時代何以遭逢塗炭？何以安享昇平？而這一趟尋訪，當有助於提高境界、拓展視域，藉而遠瞻我們的未來，啓動轉捩之鈕。

實學社開闢〈小說人物〉叢書，即是落實這種出版理念，鎖定歷史上具有決定性影響的人物，他們啓動了那一代的關鍵之鈕，或盤整亂世，或創發新紀，或誤觸機括、燎成惡局。無疑地，他們已成爲後世眼中震古鑠今的典型人物，其才略與智謀、格局與氣度，甚至性格特質，並未隨著時間而灰滅，在現代社會、不同的領域裡，俯拾可見這些典型人物特質的再生與分化。所謂鑑古知今，即是解碼。

〈小說人物〉叢書企圖透過現代小說家之如椽大筆，以史實爲藍圖，鋪設架構，馳騁想像，重塑其形貌與特質，用生動活躍的文采使他們所置身的那一段歷史復活，讓讀者在具有親和樂趣的閱讀中，各有斬獲。

實學社更希望〈小說人物〉叢書的經營，能引動國內更多優異作家共同營運出歷史小說類型創作的高峰，「百萬羅貫中歷史小說創作獎」的舉辦，即是我們誠懇的邀請函。作爲一個出版者，實學社願意構築一個歷史小說的大舞台，培育並等待經典的誕生。

我們相信，這個夢想會實現。

秦始皇大傳

【目錄】

5 亢龍有悔之卷

秦始皇大傳[5]

亢龍有悔之卷

第25章

爭立太子

1

秦始皇帝三十六年。

自始皇在咸陽公開坑殺了四百六十餘名儒生後，不再有人敢公開或私下聚集批評時政，但越聚越多的民怨，卻利用別的途徑發洩出來。

全國各地紛紛出現各種異兆和讖言。

有人夢見神人吟詩，說始皇活不過三年；有人白天在山頂看見異象，解答出來，預警天下五年之內就會大亂。

有漁人在德水捕魚，在魚腹中剖出尺長白絹，上書「亡秦必胡」，這和盧生在渤海所得圖讖不謀而合，前後相映。

盧生和石生，如今不知藏居何處，始皇費盡心思想追捕他們，卻始終緝拿不到。

開始時，始皇也懷疑是他們在中間搗鬼，但追查之下，又不太可能，因爲異兆、讖言和預言，東自遼東，西至臨洮，北由燕代，南到南海，全都有發現，他們兩個人不會有這麼大的能力。

那年暮春，東郡太守熒惑上奏，有隕星墜地變成大石頭，而有黔首在上面刻字：「始皇死後地分。」

多日來，始皇已經被這些異兆傳言弄得心浮氣躁，如今得到眞憑實據。既然有了具體的證物，他決定嚴厲追查個水落石出。

他派了廷尉左尉吳石爲御史，到心城隕石附近調查實情。

吳石來到地頭後，將隕石周圓二十里地方的民眾都逮捕來，再留下會寫字的成人，然後一一審訊對照筆跡。然而寫字刻竹和石上刻石相差太遠，追查不出所以然，而且無論怎樣用刑，這些黔首就是不承認。

吳石審訊不出線索，自覺丟臉，老羞成怒之下，奏准始皇後，全部加以坑殺。他的用意有二：一個是寧願錯殺，絕不錯放，第二個也是立威，要以後不會有人再敢用這些來煩始皇，因爲始皇整天心神不寧，最倒楣的還是他們這些伺候在左右的大臣。

他這一殺就殺了兩百餘人，這些人在當地都算得上是輿論和精神領袖的知識分子。

另外，爲了沖淡這股異兆讖言逆流，始皇也主動發起攻勢，命博士爲他作〈仙眞人詩〉，傳令天下樂工及民間習唱，詩曰——

仙眞人兮始皇帝，

自泰清兮玄洲戲，
奉天命兮下牧民，
四海一兮慶太平。
仙眞人兮始皇帝，
天詔兮吾之驕子，
君宇內兮永懷德，
秦萬世兮不更替！

2

御史吳石辦完心城隕石妖言案後，取道洛陽經函谷關回咸陽，前後隨從護衛也有百餘車騎。

那天在華陰平舒道野外宿營，從人爲他張好臨時帳幕，他上床後，思索著該如何回奏始皇的事，興奮得無法入睡。

這時他忽然聽到一陣簫聲，淒側低迴，如泣如訴，他不自覺的傾耳而聽。

簫剛開始吹出的是他沒聽過的一些曲子，但由曲調風格，他聽得出是楚地之歌。過了一會，簫又吹出了新曲，原來竟是新近傳令天下通唱的〈仙眞人詩〉。

簫聲順風飄來，他聽不出遠近，但從人護衛中誰會吹簫，而且吹得如此之好，他一時想不起來。

莫非是另有其人？但在這樣的荒郊野外，怎會有人？剛才要宿營時，找營地的人員報告，二十里方圓內沒有人煙，莫非是……？近來鬧神出鬼的事太多，吳石雖不全然相信，但也不敢認爲全無其事，尤其是坑殺這樣多不知是否有罪的人之後。

他越聽越感到毛髮悚然，正想起來叫侍從問時，忽然聞到一股異香，人就昏昏沉沉的睡了過去。

不知過了多久，他感覺臉上一陣清涼，人醒轉過來，發現不是睡在帳幕裏，而是跪伏在冰涼的青石板上。

他搖搖頭，擦擦眼睛，頭仍然有點暈，就像宿醉剛醒一樣，耳邊聽到有人大聲吆喝：

「吳石！你認得這是哪裡嗎？」

吳石定神一看，只見自己似乎是置身一個廟裡，但又像是一座朝殿，四周一片黑黝黝，看不清楚，只有正中席案上點有兩支蠟燭，一位穿紅色錦繡官服，頭戴高冠的人坐在中間，兩旁站著十多名刑卒模樣的人，全都手執長戟，腰帶佩劍。

那位官人濃眉深眼，滿臉虬髯，相貌威猛，很像傳說中的山神。旁立一位穿著綠袍的俊俏屬官。

「下官不知身在何地，還望貴官指點。」

上首官人喝道：

「吾乃華山山神是也，你奉詔審問隕石一案，爲何殘殺無辜？」

「下宮是奉詔行事，身不由己。」吳石有點不寒而慄。

「推下去斬了！」山神大喝一聲，有如雷鳴。

「是！」左右兵卒一擁而上，將他五花大綁起來，就拖著往殿外走。

吳石兩腿發抖，全身都軟了下來，一點都不聽指揮，他根本就無法行走，一步步都要鬼卒往外拖，平日他判案殺人如麻，這時候才知道挨殺的滋味不好受。

他一面掙扎抵抗，一面哀聲高叫：

「大神，冤枉！冤枉！你總不能不分青紅皀白，就這樣將下官殺了！」

「好，拖他回來，聽聽他還有什麼遺言！」山神喝道。

鬼卒又將吳石拖回神案前，將他推跪在地。

「吳石，你還有什麼話說？」

「無論怎樣，下官也是始皇帝欽命御史，不能讓下官死得不明不白。」其實他心裡想的是——憑你一個山神怎麼敢隨便殺欽命御史，不怕觸犯天條？可是口裡不敢說出來。

「吳石，本神知道你心裡在想什麼。」山神哈哈大笑，聲震四壁。

「下官不敢胡思亂想。」吳石趕快壓制心中那股想法。

「你認爲本神只管山魈和飛禽走獸，管不到你這位欽命御史，對吧？」

「下官不敢這樣想。」吳石被道破心意，嚇得魂飛天外。

「本神此次也是奉天帝之命行事，」山神撫摸著臉上的虬髯說：「因你殘殺無辜太多，天帝命我在你路過此地時拘捕你，得以便宜行事！明白了嗎？」

「下官明白，不，小人明白，還請大神開恩！」吳石磕頭如搗蒜。

「山丞，你看怎樣？」山神轉向穿綠袍的俊俏屬官問。

那位瀟灑山丞從袖袋裡取出一編竹簡，打開查閱後說道：

「據查卷，吳石殘殺衆多無辜，該受具五刑之刑！……」

山丞的話未說完，吳石叩頭流血，口中狂喊：

「冤枉！大神，冤枉！小人只是奉命行事，罪不至此！」

山丞沒有理他，繼續徐徐說道：

「不過，據查，吳石多年前尙爲廷尉推事時，曾審理一件孝子爲父報仇殺人案，吳石不惜得罪權貴，判孝子義憤殺人，只罰三年鬼薪，這是他唯一的陰德，應該減刑。」

吳石這生判罪人無數，連他自己對這件事都已模糊，因爲那已是二十多年前的事。要是他先前還有一點懷疑眼前這位山神是人扮的，現在這點懷疑也完全隨著山丞這話散去。

「求大神開恩！」吳石懇求。

「不行具五刑之刑，腰斬可以嗎？」山神又問山丞。

「大神開恩！大神開恩！」吳石喊得聲嘶力竭。

「讓他將功贖罪吧！」山丞恭敬的回答說。

「如何贖法？」山神在燭光下炯炯發亮的環眼瞪得吳石心中發毛。

「要他日後在廷尉多積功德，還有要他帶樣東西給鎬池君。」山丞回答。

「你不說，本神還忘記了，」山神向一位侍衛說：「將江神送來的那塊璧拿來。」

侍衛遵命從後面黑暗處拿出一個小錦箱，裡面放的是一塊上好的玉璧，晶瑩潤滑，一看就知價値不菲，吳石官居廷尉左尉，當然識貨。

「這是江神託本神轉送鎬池君的，今由你帶去長安鎬池，沉璧於水，然後祝禱三遍：『祖龍明年會死！』」山神將璧交給他說。

「祖龍是誰？」吳石忍不住問。

「你不必管，只要照話做就行了！」山神吆喝。

「是！是！」吳石連忙答應。

「今後問案，得饒人處且饒人！」山神又說。

「小人今後一定痛改前非！」吳石又再頓首。

「回去罷！」山神一揮袖，幾個鬼卒擁上來，吳石又昏迷過去。

3

吳石清醒過來，已是紅日當空，發現自己睡在荒山野外一道山溝裡，渾身上下還在發痛，那是鬼卒綑綁拖拉所留下的，兩手手腕也都浮顯勒出的烏紫。

他再打開錦盒，裡面的玉璧還在，超出尋常的大，而且質地和手工之好，在民間很難找到，很像是宮中流出的。就是有人裝神弄鬼，也不會將這樣貴重的玉璧平白無故的交給他。因此他深信昨晚是遇到了山神。

他費了全身力氣，總算爬上山頂，原來他睡著的山溝離昨晚的宿營地並不遠，站在山頂遠遠看得到他的黃色帳幕，還隱約看見人馬在附近山溝及道路上亂轉。他大聲喊了幾聲，只有空谷傳來陣陣迴音，那些人仍然沒有反應，他明白他們聽不見。

「望山跑死馬！」他不得不拿這句秦地俗語來自我解嘲。

他只有拖著滿身酸痛的身子，一個接一個山頭翻過去。

「毫無疑問的，昨晚我是碰到山神，人力不可能片刻之間就將我帶這樣遠！」他對昨晚的遭遇已深信不疑。

還好，在他翻過第三個山頭時，他的屬下終於發現到，連忙派了一名侍衛帶著他的座騎飛馬來迎。

侍衛扶他上馬後，還詫異的問道：

「大人興致如此之好，一大早就來觀望山景，害得小人們到處找。」

「你們昨夜可曾聽到簫聲？」吳石問。

「大人說笑了，這種方圓幾十里沒有人煙，鳥都不生蛋的地方，哪會有人吹簫？再說大夥白天行路勞累，吃完飯，洗個澡，一躺下來就睡著了！不說這些人中間沒有人會吹簫，就是會吹，也吹不動啦！大人有什麼發現？」侍衛也跟著上了馬。

「沒有，本官只是問問而已，走吧！」吳石臉色蒼白的揚鞭，一拉嚼環，白馬急馳而去。

大家都認爲吳石是貪看風景迷了路，吳石也順水推舟的承認。

在再出發途中，吳石坐在駟馬高車內，手執玉璧，心中卻在考慮，應該遵照山神的話，將玉璧直接沉於鎬池，傳達祖龍明年將死的消息，還是將這件事先稟明始皇，還是兩者都不要，另選第三條路——將玉璧收歸己有。

他一路上檢視把玩著玉璧，越看越愛不釋手。他是走趙高路線的人，各地包括西域和林胡獻貢來的寶物，都要先經過趙高的手，而趙高總會要他去鑑賞，他很少看到這樣質地和雕工都達到完美程度的大玉璧。

祖龍又是誰?他的死與江神和鎬池君又有什麼關係?假若他將這樣貴重的玉璧沉在鎬池，是不是太可惜?

但假若他獻給始皇，告訴他這個怪異荒誕的故事，他會不會相信?要是不相信，又會產生什麼可怕後果?這次他本身去辦案，就以妖言處決了兩百多人，他還要去揹這個罪名?不過，他要是不去沉於鎬池，將來山神找到他該怎麼辦?昨晚的恐怖情景，現在想起來背脊還發涼!山神敢交玉璧給他，一定有再制住他的方法。

算了，到咸陽還有段時間，向始皇報告結案經過，還要經過一段時日，再到鎬池的時間加起來，他玩賞這塊玉的時間夠長了。

想到這裡，忽然他又發現一個疑問想不通了——爲什麼山神千里之間頃刻可到，自己不送去，卻偏要借他這個凡人之手？

「也許，沉璧要經過一道繁複的祭禱儀式，山神也是神，不願向鎬池君低頭。」他只有這樣來解答自己的疑問了。

他向著窗簾透進來的陽光，察看玉的透明度，突的看到一行小字，原先不仔細看，還當是玉的紋理。他極盡目力辨識，才看出是：「大秦御府珍藏」

他驚嚇得兩手一抖，差點將璧掉下來跌碎，他嘆了口氣想：

「手上的錦盒很多人都看到了，將來追查脫離不了關係，看樣子只有走向主上稟明這條路了！」

4

在吳石醒來剛離去不久，山溝那邊樹林中，轉出來十幾個人，帶頭的赫然是張良和一位虬髯客。時隔七、八年，張良雖然俊秀依舊，可是氣度舉止成熟許多，他正是昨晚山神廟中裝屬官的人。他笑著對那位虬髯客說：

「項伯兄，一切在預料中。」

項伯身高八尺有餘，不是別人，正是楚名將項燕長子，也就是項梁的同胞兄長。他性喜闖蕩江湖，四海遊學，從小就在外面很少回家，前幾年因殺人被通緝，逃到下邳，後來張良博浪沙一擊始皇不中，也逃到下邳和項伯會合，同時合組了一個遍佈各地的反秦組織。

項伯笑著回答說：

「良弟自遇黃石老人後，可說是一日千里，進步太多，不再是博浪沙山上的魯莽少年，而變成神機妙算的半仙了。」

張良聞言微笑不語。

原來博浪沙一擊不中，張良逃到下邳，在那裡得到一項奇遇。黃石老人故意將腳上鞋子踢到杞橋下，要張良拾取，考驗他是否有敬老尊賢的品德。張良從橋下撿起鞋子後，老人更要他爲他穿上，看他是否有忍辱負重的耐力。

當時張良是眞想狠揍他一頓，但看他年老，忍氣吞聲爲他穿上，老人滿意的稱讚他孺子可教。

最後他約張良在橋上見面，故意提前到達，然後責怪張良與老人約會卻遲到，這樣接連三次，第四次張良乾脆不睡覺，前一天晚上就在橋頭等候，這次總算比老人先到一會，通過了測驗。老人大喜，傳授了他一套《太公兵法》，並且告訴他：

「好好讀這部書，學成即可爲王者師矣，十年後，你會大展事業，十三年後，到濟北來見我，穀城山下有塊黃石，那就是我！」

老人沒說其他的話就走了，以後也未再見過面，但隔一段時間就會有封信給他。張良日夜研習揣摩，氣質及才智都有了莫大的變化和進步。

接著項伯又說：

「良弟，你眞是捨得，這樣一塊價值連城的玉璧就這樣平白送人，假若吳石貪心一起，不呈交始皇，私下吞了，那豈不是白費這許多心思？」

「天下之物各有其主，這塊玉璧本來就是嬴政之物。上次他渡江水遇風浪，用來沉江祭禱江神之用，我在無意間得到，這塊璧會給他心理上莫大震撼，『祖龍明年會死』的預言，他也就會深信不疑。至於吳石，就算不怕『山神』會再找他，見了『大秦御府珍藏』那幾個字，諒他不敢吞沒！」張良分析事理，頭頭是道。

「你認爲嬴政相信了這項神話，就會急著立太子？」項伯仍然不解的問。

「應該如此，」張良胸有成竹的說：「根據後宮傳出的消息，嬴政政事勞累，再加上勤練房中術及大量服用丹藥，已患上了嚴重的肝病，只是御醫們都不敢說出來罷了。嬴政本身也有所警覺，所以不願立太子的原因，乃是對徐市的『青春之泉』還抱著希望。」

「你認爲嬴政這樣聰明，再加上『裝神弄鬼案』的打擊，還會相信我們的鬼話嗎？」

「嬴政在別的事上聰明絕頂，但只要遇到和死去皇后有關的事，他就會變成八歲，要是談長生不老，他就只有三歲了，」張良微笑著又加一句：「這是情和欲望害人之處！」

「我再問一句，」項伯問話眞有執著精神：「我們是想要他立扶蘇，他相信了我們的鬼話和立扶蘇又有什麼關係？」

「唉！」張良也許被他問累了，長長的嘆了一口氣才說：「前因後果分析起來太複雜，我只能簡單說明。嬴政深愛死去的皇后，所以這麼多年都不扶正蘇妃……」

「這是眾所皆知的事，那我們想藉由鬼話來促使他立扶蘇，不是簡直不可能嗎？」項伯瞪大了環眼插口。

「聽我把話說完，」張良耐心的說：「你也說過嬴政聰明，但爲情所使，他一心一意想立胡亥，卻又明白胡亥愚騃任性，不可能做個好皇帝。只是他抱著希望，胡亥也許能改，同時再多等幾年，讓天下完全安定，胡亥能當個無爲而治的太平天子，笨一點就沒有關係……」

「原來如此！」項伯有點懂了。

「假若他相信我們的預言，他明年會死，他鑒於天下風潮四起，怕胡亥鎮不住，就會立扶蘇，這也是我們地下組織到處放話，製造民間混亂的道理。」

「這我就更弄不懂了，我們以反秦復國爲目的，立昏庸的胡亥，將來弄得天下大亂，不是正好？要是扶蘇當國，以他這次代父巡狩的成績來看，一定是天下大治，我們豈不是一點機會都沒有了！」項伯不以爲然的說。

「你不是說我進步了嗎？」張良苦笑著說：「這就是我突破性的大進步。幾年來和家師書信往返討論的結果，家師判定幾年內天下必亂，百姓又要受到戰亂流離之苦。我們再次商議，想由我來做一點『人定勝天』的事，促成扶蘇立位，以免天下又陷於過去幾百年混戰的痛苦。」

「你不想復興韓國了？」項伯詫異的問。

「韓國的復興和天下生民的痛苦比起來，又算得了什麼？」張良笑得有點淒涼。

「我也有同樣的想法，」項伯也嘆口氣說：「天下統一已成趨勢，再打散重來過，又是打打殺殺，以前那種日子並不好過，我們現在最需要的是一個好皇帝。」

「多謝項兄和我有同樣想法，」張良感激的說：「下一步是投向蒙毅，借他之力，促立扶蘇，但項兄是否肯屈身事仇？」

「從小遊蕩四海，早以天下人自居，眼界不會只限於一國一地！」

項伯仰天哈哈大笑，豪邁的笑聲嚇得林鳥紛紛展翅而飛。

5

始皇在咸陽宮便殿接見吳石，聽取他報告辦理隕石案經過，廷尉蒙毅侍坐。

吳石報告此案株連到兩百多人，而且是當地菁英分子時，蒙毅臉上流露出不忍之色。

始皇轉臉看了他一眼，又轉過來對吳石也像是對他說：

「辦案固然要以少殺戮爲原則，但有時除惡務盡也是應該的。」

蒙毅不便說什麼，吳石聽到這句話，等於是得到稱讚和肯定，不覺喜形於色。

高興之餘，他的膽子也變得大了些，他避席頓首，雙手高舉錦盒過頭啓奏：

「臣這次回咸陽途經華陰平舒道時，遇見一件怪事，有該地山神託臣帶一塊玉璧給鎬池君，後來臣發現到這塊玉璧本是御府珍藏，不敢自專，特地稟明陛下，請陛下聖裁！」

「有這等怪事？」始皇要近侍接過錦盒，仔細一看，也發現到「大秦御府珍藏」那一行字，他要近侍召御府令來問明眞相。

他心裡卻在想——又是一個裝神弄鬼的騙局！但他還是很感興趣的對吳石說：

「卿家將經過情形詳細說給朕聽，請復座。」

吳石復座後細說了當時經過，當然將自己乞憐求生的醜態省略掉了。

始皇聽罷，半晌不語，這和他在湘君祠的遭遇類似，不過不是似幻似眞，而是眞的整個人被擄走了。那「祖龍」又是誰？

御府令奉詔前來，叩首行禮後檢視玉璧，刹時間臉色變得蒼白，彷彿看到了極其恐怖的事物。他聲音顫抖的說：

「啓奏陛下，這正是前次渡江水，適逢風浪，陛下祭禱江神，沉於江中的那塊玉璧，不知怎麼會被人撈起。」

「你能確認無誤嗎？」始皇也感到有點頭皮發麻。

「沉璧之事不多，而且這塊玉璧在御府算是上品，無論尺寸、形狀和紋理，臣都記得很清楚，的確是廿八年祭江所沉之璧，尤其那行與紋理相合的字，更是巧匠精心之作。」御府令肯定的說。

始皇沉吟一會，轉向吳石說：

「這樣吧，鎬池君那裡由朕親自去，這塊玉璧暫時物歸原主。」

「遵命！」吳石即席俯首。

「暫時收藏好，等朕決定好祭禱鎬池君時，再取出應用，這裡沒事了，你退下吧！」始皇向御府令說。

御府令行禮告退，始皇仍在心中一直咕噥——祖龍明年死，這祖龍到底是誰？

突然他想到，祖者始也，龍者帝也，祖龍者始皇帝也！他神色沮喪的對吳石說：

「這次案子你辦得很好，沒事就退下吧！」

在吳石行禮退出後，他又對蒙毅說：

「蒙毅，你留下，今晚你和幼公主陪朕一起去見見皇后！現在你就去找幼公主來南書房！」

這是任何臣子都無前例的殊榮。這麼多年來，始皇去到蘭池，全都是獨來獨往，只帶四名力士護衛。

始皇回到南書房，感到有點頭暈，他早發現自己身體不好，卻沒有近來這般嚴重，他常感到四肢乏力，胸中鬱悶，時有想嘔吐的感覺，而且人很明顯的在逐日消瘦下來。

御醫們診斷沒有病，只是說他操勞過度，肝火上升，唯一的治療方法就是休息，另加一些降肝火的補藥。

他習慣性的踱到南窗邊，推開窗戶，見到的又是一勾新月，不知爲什麼，每逢見到新月，他就對皇后有股難以形容的思念。

祖龍明年死！也許他該立太子了。但要立誰呢？胡亥和扶蘇的影像，在他腦中又重疊交錯起來。

祖龍明年死！他彷彿見到那個山神說話的神情，吳石描述得太活靈活現了。

這些反朝廷分子，這件事是否又是他們玩的把戲？

但再仔細一想，沉落在江底的玉璧，不是江神還有誰有這個能耐，能將它撈起來？人稱「海無邊，江無底」，漁人就是撒網捕魚也撒不到江底。

只不過江神爲什麼不將這個訊息直接告訴他，而要告訴鎬池君？

這些問題他越想越不通，乾脆不再想，而是做成兩項決定：

——儘快考慮立太子。

——祭禱鎬池問吉凶。

6

當晚始皇在南書房賜宴蒙毅和幼公主，飯後乘駟車一部，帶力士八名護駕，幼公主參乘，蒙毅則騎馬相隨。

車行中，始皇目不轉睛的看著已發育良好的幼公主，發現到她越大越像皇后，無論是言行舉止，或者是聰慧才智，尤其是那股孩子氣的狡黠，恐怕皇后在世見到，也會自嘆不如。

忽然他靈光一閃，要是能讓她的聰慧來補胡亥的愚騃，那立胡亥爲太子，就沒有太大的關係了。

他們按照往常一樣，經由祕密通道，進入大殿皇后棺槨厝放處。

始皇親自在皇后畫像前點好香燭，行禮後默默祝禱，蒙毅和幼公主叩首後仍俯伏在地。

始皇望著皇后的畫像，在心中默念說：

「玉姊，妳生前雖然不贊成我立胡亥，但胡亥是我們唯一的兒子，不立他，立誰我會甘心？如今江神言我明年會死，立太子已是迫不及待的事，現在我幫妳找到一個媳婦，不但相貌舉止和妳相像，聰明才智也可和妳相比，願妳在天之靈也表示一點意見。」

默禱完畢，始皇連卜三次，「皇后之靈」都表示反對。

「那只有由我單方面作主了！」始皇搖頭苦笑。

祭拜完畢，始皇要蒙毅出外巡視一下警衛，單獨留下幼公主。

始皇首先指著皇后的畫像說：

「皇兒，看看母后像不像妳？」

「父皇的話有語病。」幼公主笑著說。

「語病？」始皇一時會不過意來。

「應該說兒臣像皇后。」

「哦，不錯，朕越看妳越像她，尤其是天生聰慧上。」始皇長長嘆了一口氣。

「螢火怎敢跟月亮比！」幼公主也嘆了一口氣：「皇后駕崩這麼多年，後宮至今人人都還稱頌她的賢德，兒臣怎敢相比？」

始皇接著談了一些皇后生前的事，思慕之情，溢於言表，幼公主也聽得入神，始皇突然話鋒一轉說：

「希望胡亥將來立位時，也能有這樣一位皇后！」

「小哥的年齡是到了該擇偶的時候了。」幼公主說。

「準備當皇帝的人，不只是為個人擇偶，而是要為天下人選后！」始皇鄭重的說。

「父皇可曾為小哥選好了人？」幼公主頑皮的笑。

「有是有了，可是朕正在徵求她的同意。」始皇也露出微笑。

「哦？」幼公主沉默不語，臉色變得凝重。

兩人無語很久，始皇心想這層紙不戳破，話就永遠說不明白，因此他徐徐的言道：

「皇兒，妳和胡亥相處得怎樣？」

「很好。」幼公主低下頭。

「朕看得出他很聽你的話。」

「雖然眼下他頑劣一點，但一旦繼位，朕相信他會改。」

「……」

「……」

「朕想妳做他的皇后，妳意下如何？」始皇硬著頭皮說出。

幼公主聞言連忙下跪，始皇還當她是下跪謝恩，但雙手想要扶起她時，卻發現她滿臉淚痕。

「父皇是詔命，還是徵詢兒臣意見？」幼公主仍然跪著沒有起來。

聽到幼公主如此問，始皇不禁又回想到那晚他自己向皇后求婚的事，他在心中暗嘆，眞的什麼都像，連求婚回話都像！他長嘆一口氣問：

「要是朕的詔命，如何？」

「君命不可違！」幼公主輕喟了一聲。

「要是朕代胡亥求婚呢？」

「兒臣願意丫角以老，永遠服侍父皇。」

「算了，起來吧，」始皇強作微笑說：「什麼都不算，就當沒發生過這件事。」

蒙毅巡視警衛回來，腳步聲逐漸走近。

始皇愛憐的撫摸一下幼公主的秀髮說：

「把眼淚擦乾，就當什麼事都沒發生過！」

7

在長安西南的鎬池，正在舉行一項盛大隆重的祭禱典禮，由始皇帝親自主持。

身穿白色寬大長袍，頭戴黑色鳩冠的巫者，手執巫杖，兩手張開，仰首向天大聲祈禱，口中喊著只有他自己才聽得懂的祝詞。六六三十六名禮生，穿著同樣的白袍，就是頭上沒有鳩冠，分成六列跪在巫者背後。

「鎬池君」相傳爲周武王死後爲神，由天帝所封。始皇對這位首次以武力統一中原的君主，有著惺惺相惜的特殊感情，他不敢托大，身著全套大禮服，率領百官跪伏在地。同時爲了表示親民，准許民眾在外圍自由參加祭祀，因此現場參加祈禱求福，以及想瞻仰始皇丰采的民眾，高達數萬。

池邊周圍香煙裊裊，有的民眾在池邊祭拜，更多的民眾站在高處或是爬在樹上，守視祭典的進行。數千虎賁軍在現場擔任護衛，嚴禁閑雜人接近祭禱現場。

始皇雖然跪在地上，但他的頭仍然是昂起的，一直注意看巫者的表情，因爲他對鬼神的事，經過歷次受騙，已經是半信半疑。

他第一眼看到巫者的感覺是震驚，這名巫者好俊秀好年輕！眉目娟秀，唇紅齒白，簡直像個美婦人。而跟在他身後贊禮的副手倒是身材魁梧，滿臉虬髯，這兩個人的角色是否顛倒了？

不知爲什麼，他見到這名姣好像女子的巫者，心中卻有些微的恐懼，也許是爲他臉上滿佈的神祕所震懾吧，這些巫者和帝王一樣，自有一股鎮壓人心的魅力！

這巫者是蒙毅介紹的門客，始皇絕對信任。據蒙毅說，他自小得到異人傳授，上知天文，下通地理，對易經及占卜，搜鬼通靈等奇學，更有獨到的本領。

巫者祝禱祈神降臨，沉璧儀式完畢，本該由奉常代始皇唸祭文，誰知這時巫者突然摔倒，全身顫抖，口吐白沫，現場稍有混亂，但因始皇在場，誰也不敢亂動。

贊禮副手和幾名禮生上前去扶他起來，誰知這名美婦人般的巫者，一手抓一個，像丟稻草人似的將他們丟得七葷八素。

始皇的近侍郎中正想有所動作，卻爲始皇所喝住，他想看看到底發生了什麼事。

只見巫者神色和舉止完全變成了另一個人，頗有帝王雍容風度，他向跪在地上的始皇說：

「本神乃鎬池君是也，嬴政，你來找寡人，有什麼要問的？」

始皇猶豫了一下，當著這麼多眾臣面前，他想問的事當然問不出口，他轉念一想，自己功德遠超三皇五帝，在武王面前也不必這樣自卑，儘管武王成神，而他卻是天之驕子！於是他站起來說：

「鎬池君乃正神，應該不說也會明白朕所想問的事！」

「嬴政，你很聰明也很狡猾，」鎬池君哈哈大笑，一派帝王氣度，完全不是巫者原有的聲音：「你的心思本神當然清楚，但在這種場合，你不便明問，本神當然也不便明告。」

「那是否能請大神今晚降臨，嬴政在咸陽宮闢密室，焚香等候？」始皇恭敬的說。

「不必！」鎬池君說：「嬴政，你是聰明人，本神只要提示你幾句，你就會悟透了。」

「請說。」

「祖龍乃天上星宿，明年應該歸位，這是第一：行其所當行，立其所該立，不要被私情所蔽，這是第二個你想得到的答案。另外有句話要奉勸，稍存上天好生之德，免得爲血所污染，歸不了天上星位。」

這下始皇要不相信也不可能了，因爲祖龍之事，只有蒙毅和吳石知道，而想立太子的事，除了幼公主以外，他跟誰都沒提過。

「還有一件事朕想不通的是……」他又問。

但他的話還沒說完，就爲「鎬池君」所打斷，他反而問他說：

「本神在人間留下什麼功績受後人所景仰？」

「當然是率領諸侯伐紂！」始皇對「紂王荒淫無道，武王大會諸侯於孟津討伐」這段歷史很熟諳。

「這次江神托華山山神持玉璧作信物，勸言本神祖龍可以討伐了！」

始皇回顧身後依然跪在地上的群眾，只見他們人人滿臉狐疑，似乎不了解他們在打什麼啞謎。

「還有一件事要請問，」始皇又說：「假若祖龍傳人得宜，是否可以萬世不替的傳下去？」

「嬴政，你在別的事上聰明，怎麼在這種事上卻如同三歲小孩子？傳人得宜自然可以延長天命，其餘就非本神所知了！」

除了中隱老人外，誰敢這樣直言申斥他？儘管鎬池君生前爲王，死後爲神，而他卻是天之驕子！

始皇怒火塡膺，正想發作，只見「鎬池君」兩眼翻白，口吐白沫，渾身顫抖，狂吼了一聲：

「本神去也，嬴政你好自爲之！」

巫者竟這樣像僵屍一樣，直挺挺的倒了下去。

副手和禮生忙著用冷水澆他，想弄醒他來。

始皇臉色鐵青，不發一言，登上六匹黑馬駕的轀輬車，在萬民高呼「萬歲」聲中，絕塵而去，眾大臣連忙各自乘車騎馬紛紛相隨。

8

在蒙毅府中密室，燈光黯淡，室外警衛森嚴，禁止任何人接近整棟房子十丈以內，於是整個院子都空曠無人，伺候的婢女也必須奉召才准前來。

室內只有蒙毅、張良和項伯三人。

蒙毅離席在室內踱來踱去，每到張良和項伯席位之間，就環顧兩人一下。

他面色凝重的說：

「張先生今天表演得很好，只是後面幾句話說得過重了些，主上回宮後一直含怒不語。」

張良避席頓首說：

「小生並不認爲如此！」

「哦？先生有何高見？」蒙毅不悅的問。

「依小生之見，主上性情高傲，目無歷代任何帝王，獨獨欽佩武王的功績和爲人。要氣勢壓過他，小生裝扮的武王必須要當他是後生小子！」

「先生言之有理，只是還是有點過份，」蒙毅剛直的臉上出現了歉意：「以前下官罵趙高裝神弄鬼欺騙主上，想不到自己也要玩這種權術手段。」

「大人用不著歉疚，」項伯在一旁插口說：「始皇爲人剛愎，又深愛胡亥，難免不做胡塗事，大人這是爲天下人著想。」

「也只有這樣想，下官才會稍微心安！」蒙毅嘆口氣說。

「始皇回宮以後，眞的一句話都未說？」張良沉思一會又如此問。

「他只喃喃自語一句話：『山鬼只知一年事！他怎麼能知明年？』」蒙毅回答：「下官不明白主上說這句話的時候，心中作何想法。」

「看情形，他對此次鎬池君的話是深信不疑了，只是心中還有矛盾。」張良解答說。

「張先生，下一步我們該怎麼辦？」蒙毅又問。

「什麼也不要做，靜觀其變，假若小生推測不錯的話，始皇會主動問及大人此事。」

「到時候下官要如何回答？」

「大人可以說這是主上的家務事，疏不間親，不便回答。」張良說。

「這豈不是坐失良機嗎？」蒙毅不解的問。

「始皇爲人主見很深，他決定了的事別人很少能更改，他知道大人偏向扶蘇，假若你言明贊成立扶蘇，反而會激起他的反感而誤事！」張良微笑著說。

「先生果然高明！」蒙毅讚嘆的說：「先生要是能入朝爲官，一定是大有作爲的能臣，要不要下官代爲推薦？」

「多謝大人厚愛，只是小生懶散慣了，受不了官場束縛，承蒙大人收在門下當舍人，能爲大人獻言分憂，就很滿足了。」張良連忙謙謝。

「這眞是太可惜了，只是下官也不敢勉強，」蒙毅想了想又問：「先生看這件事有幾成的把握？」

張良閉目沉思一會，才睜開眼睛回答說：

「假若不成的話，始皇很快就會立胡亥，那就不必說了；假若他不再提此事，扶蘇就有六成的勝算；要是他主動向你問起，那他已是決定立扶蘇了。」

「想不到先生這樣年輕就算無遺策，眞可惜我們不能一殿爲臣，共扶未來的皇帝。」蒙毅臉露惋惜。

張良微笑不語。

三人又談了一些細節，張良和項伯才起身告辭，臨行時，張良又向蒙毅叮囑一句：

「大人要多注意趙高的動向！」

9

在趙高府中密室裡，也有三個人在密商，分別是趙高、吳石和一名徐市派來的密使。徐市密使是報告，徐市在海外一個島上，男耕女織，生活得很好，暫時不想回來。

「前幾天蒙毅介紹的那個巫者裝得眞好！」趙高氣憤的說：「聽主上近來的言語，似乎有了想立太子的意思。」

「據下官看，鎬池君眞是降臨了。」吳石有點不服的說。

「明明是裝神弄鬼，」趙高鷺鷥般笑了幾聲：「這些事哪能逃得過我的眼睛！」

吳石還想爭辯，但想到趙高裝神弄鬼受罰，到如今還是庶人身份的事，他不敢再提，只是討好的說：

「主上要立太子一定要立胡亥公子，將來他一繼位，趙大人就是帝師了，還望多加提拔。」

「哼，那可不一定，」趙高搖搖頭說：「主上今天問起我，要立太子該立誰？」

「主上器重大人，這樣重大的事都徵求大人意見，眞不愧爲帝者師，大人自可順水推舟擁立胡亥公子。」吳石諂笑著說。

「我才沒有你這樣笨！」趙高對堂堂的廷尉左尉毫不客氣，就像對家奴一樣直斥。

可是吳石卻一點也不見怪，仍然聳肩前傾，陪笑著說：

「那大人是怎樣回答的？」

趙高閉上眼睛，半晌沒有答話，臉上流露得意微笑。最後他徐徐睜眼，看了兩人一眼才說：

「對主上的脾氣，沒人比我再清楚……」

「當然，大人和主上是從小玩到大的總角之交！」吳石趕快乘機拍馬屁。

「不然，」趙高正色的說：「應該說是同懷之交，你知道嗎？雖然主上小時有他的奶媽，但我娘常是一邊奶頭奶一個孩子，這不是同懷之交是什麼？」

「不錯，不錯！」吳石與那徐市密使異口同聲奉承。

「所以嘛，我當時就回奏主上，這是他的家務事，疏不間親，我無意見可提。」趙高顯出詭異的神色。

「那豈不是坐失良機？」吳石嘆口氣說。

「我說你不懂，你就是不懂，主上的脾氣沒有人比我再清楚……」

「不錯，不錯，大人與主上乃是同懷之交！」吳石等兩人異頭同點的說。

「主上一直是有自己的主見，他問別人，只是觀察哪類人有哪種想法，並不是眞正徵求你的意見。譬如說他要是問蒙毅，一定會問立扶蘇好不好？假若蒙毅回答好，那倒楣的是蒙毅，因爲主上會懷疑他與扶蘇結黨，或者是受了扶蘇請託。因爲立嗣這種大事，不是元老重臣不能參加意見的，蒙毅和我還不夠那種份量。」

「趙大人眞是明智，」吳石拊掌稱絕，然後不解的問：「趙大人和主上這種交情都不能提意見，那就沒有人夠資格提了。」

「那當然，」趙高摸摸沒有鬍子的下巴微笑，不過他想了想又說：「不然，像李斯這類老臣倒是應該照實回答，否則主上會懷疑他們沒有誠意。」

「聽趙大人一席話，眞是勝讀十年書，」吳石嘆口氣說：「下官在朝爲官也很久了，今天才知道答與不答之間，竟有這麼大的奧妙！」

「那當然。」趙高得意作鷺鷥笑。

「主上問過李丞相沒有？李丞相又如何回答？」吳石好奇的問。

「聽說是問過了，而且李斯認爲是立扶蘇的好，不過他的話沒有多大效果。」趙高輕蔑的說。

但他忽然像想起什麼似的，沉吟了一下，一拍大腿，高叫了一聲：

「不好！」

「趙大人，怎麼啦？」吳石等兩人齊聲問。

「蒙毅的裝神弄鬼再加上李斯的進言，可是非同小可！」趙高像從美夢中醒過來一樣驚惶：「李斯是最會揣摩上意的！」

「爲什麼？」吳石問。

「你不要管爲什麼，我只告訴你，再不設法阻止，恐怕主上這幾天就會明命立扶蘇爲太子！」趙高氣極敗壞的說。

他們剛才還看到趙高一副志得意滿的樣子，現在突然變得驚慌失措，不禁也緊張起來。

「沒有誰比我更了解主上的了，」趙高又說了一句他的口頭禪：「他沒有決定事情以前，不會問別人，依照目前的情形，他爲顧全大局，一定會立扶蘇！」

「那該怎麼辦？」兩人齊口同聲問。

趙高皺著眉頭，拖著猥瑣的身子，就在室內踱步起來，他這個習慣多少是從始皇那裡學來的，他雖然是邯鄲小兒學步，倒也發現像這樣踱步，頭腦會靈活不少，很多困難問題因此迎刃而解。

他踱到徐市的密使面前，一雙小眼睛一轉不轉的盯著他，看得這位密使心裡發毛。

「就是你，我要用你來挽回大局！」趙高格格的笑著。

「小人我？」密使有點想哭的說：「徐先生派我回來祕密報告船隊在海外的情形，小人可是見不得光的！」

「你不但要見光，而且要面見主上。」趙高突然這樣說了一句。

這名密使嚇得避席頓首，磕頭如搗蒜，哀聲喊著：

「趙大人，這不是開玩笑的！」

「起來，起來，請復座！」趙高笑著將他扶回席位：「你別驚慌，我沒有惡意，明天我就安排你覲見主上。」

「小人我？」密使哭喪著臉問。

「不錯，安排好時間我會通知你，見到主上後該說些什麼，覲見之前我會告訴你！」

「叩謝趙大人！」密使又再避席頓首。

吳石在一旁滿頭霧水，猜不透是怎麼回事。

10

始皇在偏殿接見徐市的使者，趙高沒有食言，前一天晚上教了使者一番話，要他記熟以便臨時應對。

這名密使乃徐市多年來最相信的門客，算得上是飽讀諸子百家，有著極便給的口才，這些年來專負責他與趙高之間的連絡。他見過的場面不少，卻是第一次見到帝王這種威嚴。雖然是在偏殿，沒有朝殿那種盛大排場，但也是警衛森嚴，殿下站滿執戟武士和帶劍郎中。

這位門客天生個子就小，一進入大殿，環顧四周都是身材特大的彪形大漢，再加上殿中什麼都大，更顯得自己出奇的渺小，他兩腳發軟，幾乎都要不聽指揮了。

來到階下，他跪地行禮，高呼萬歲已畢，奉命起立回話。

「徐市這麼多年在海外尋找長生不老藥，久無消息帶回，而且還偷偷將家眷接走，實在可惡之極，這次派你回報，到底還有什麼可強辯的？」

始皇一字一字的威嚴說出，迴音在空曠的大殿中激盪，更增加了恐怖氣氛。這位門客明白，回話稍不小心，就有掉腦袋的危險。

「徐市辯解已在奏簡說明，小人只是奉徐市之命，負責向陛下回答疑問。」門客強自鎮定的說。

「好，朕先問你，徐市現在何處？」始皇怒容稍減。

「徐市等人現在海外一無名孤島，缺水缺糧甚為辛苦。」

「島上會沒有淡水嗎？」始皇不解的問。

「島上雖有少數山澗，但因地勢陡削，下雨水即流入海中，存水處甚少。」

「你要說實話，」始皇雙目似箭，直視門客，沉聲的說：「你們可曾見到仙島？」

門客為始皇看這一眼，全身有如遭到雷殛，差點說不出話來，可是他想起趙高的交代，只得硬起頭皮回答：

「多次見到，只是靠近不了。」

「為什麼？是否島上的人不歡迎你們，還是你們所見到的只是海市蜃樓的幻境？」

「不是，的確是蓬萊仙島。」門客只有一口咬定。

「什麼樣子？」始皇這一問非常厲害，因為徐市向他形容的仙島模樣，他一直神往，所以記得很清楚，而且徐市對他說這些時，只有很少人在當場。這一對照，就可知道這個門客說的是否眞話。

誰知趙高比他更厲害，早料到他會有這一著，不但僞造了徐市給始皇的奏書，還教會了他這一套。

門客照著趙高所教的說了，對蓬萊仙島外形的描述和徐市所講大致相同。這位門客本身當然也是精明之輩，他結尾加了一句：

「至於仙島內裡的事，徐市從不對別人說，所以小人也就完全不知道了。」

始皇一聽他這樣說，也就深信他們是接近過仙島而無法上去了。

「到底是爲了什麼呢？」

「每次我們看到仙島出現時，就會風浪大作，波濤洶湧，將船隊打得四分五散，還曾經有多艘船翻覆。」

「朕問你到底是爲了什麼？」始皇有點不耐。

「經過徐市的祭禱祝問，才知道是海神的阻撓。」

「海神阻撓？他爲什麼要阻撓朕求取仙藥？」

「這就非小人所能知道的了。」

「退下去吧，朕自有主張。」始皇爽然若失的說：「補給與糧食的事，你去和趙高商量辦理。」

門客跪倒行禮，由趙高帶出。

始皇退至南書房後，召李斯和蒙毅來見。他向李斯說：

「徐市有使者回來，說是接近了蓬萊仙島多次，只是為海神所阻，看來求取仙藥『青春之泉』還是大有希望的。」始皇心有未甘的說。

李斯看了看始皇憔悴的臉色以及明顯逐漸瘦弱的身體，明知他肝病已重，應該立嗣，但始皇最忌諱的就是別人說他病，更別說提到死了。有位御醫自認忠誠，說了實話，診斷始皇患了肝疾，建議他必須停服任何丹藥，少近女色，完全不理政事，好好休養一段時間，否則後果堪慮。

始皇一氣之下，就罰他鬼薪守太上皇陵三年。以後沒有任何御醫再敢說他有病，只是歌功頌德的說他太勞累，開些清火補肝的藥給他吃而已。

李斯當然不會重蹈這個覆轍，他恭身回答說：

「恭喜陛下，海神為什麼阻撓，只要找出原因就不難解決。」

始皇又轉向蒙毅說：

「先前你那位門客是否還在府中？」

「還在，只是他上次冒犯了陛下，至今仍日日惶恐不安，絕口不再提祭禱占卜這類的事。」

蒙毅回答。

「上次的事，當時朕的確有點生氣，但再一想，對朕無禮的是鎬池君，這怪不得你那位門客，對了，他叫什麼名字？」

「張繼，楚地下邳人。」

「你要他爲朕再召別神，當然不要鎬池君，朕想問問，海神爲什麼要跟朕作對。」

「遵命。」

始皇不再說話，陷入沉思很久，才同時對李斯和蒙毅說：

「立太子的事後議，等海神的問題解決了再說。」

「是。」李斯無可無不可的答應。

蒙毅只覺得背脊發涼，他想說點什麼，卻又不敢。

11

甘泉宮修煉室裡，燭光搖曳，香煙裊繞，獸形香爐裡，焚著西域異香，整個屋子瀰漫煙霧，人處其中，立即進入一種似幻似眞的境界。

始皇對著神桌高坐，這次是召神而不是祭祝，所以始皇是坐在主位，以貴賓之禮等候神的降臨。

事先始皇召見了張良，問他召什麼神來問最好。張良認爲召別的神來都是旁敲側擊，恐怕問不出個所以然，不如直接召海神來。

「東海離這裡萬餘里，能召得來嗎？」始皇驚奇的問：「即使能來，又要等多久的時間？」

「莊子曰，鵬之徙於南冥，水擊三千里，摶扶搖而上九萬里，這還只是有生有形的神物，」張良微笑著說：「至於成神以後，無生無死，無形無影，思想所及，轉眼即至，已不再受距離的限制。」

「張生這句話就錯了！」始皇抓住他語病似的得意微笑。

「不知臣錯在哪裡？」張良恭敬的問。

「旣然神只要轉念之間立到，爲什麼江神不直接和鎬池君會晤，還有待山神居中轉交玉璧？」

這一問的確將張良難倒，而且山神這件故弄玄虛之事，正是他所爲，免不掉做賊心虛。但他是何等機智的人，心念一轉，表面一點聲色未動的回答說：

「神無形無影，固然轉念之間任何地方都可立到，但玉璧是凡間濁重之物，卻需要按照凡間俗物處理。」

「原來如此，那我們現在就開始作法吧！」始皇滿意的說。

張良又換上白色法衣，戴上鳩冠，由項伯贊禮。

始皇肅穆靜坐，專等海神的降臨，蒙毅側席侍坐。

張良焚香擊鐘，跪伏在地，口中唸唸有詞，突然和那天一樣渾身顫抖，口吐白沫，一個騰身，跳到半空，還連翻了幾個跟頭，矯如神龍般在空中扭轉，正好跌坐在事先安排的賓席上。

「海神怎麼跟鎬池君不一樣，舉止如此野蠻？」始皇細聲問蒙毅。

「鎬池君生前為帝王，當然雍容大度，海神則只是東海一條孽龍！」蒙毅也恭敬的小聲回答。

這時只聽到張良大吼一聲說：

「本神乃海神是也，爾乃何人，膽敢當面辱折本神？」

聲音粗厲，和張良俊秀的外表極不相稱。

蒙毅聞聲連忙跪倒，連連謝罪失言，始皇也起立以主人身份延坐。

「始皇帝，你管你的人間，我管我的海洋，你找我來作什麼？」「海神」怒聲問。

「海神這一問問得甚好，既然你知道你我奉上帝之命各管一方，為什麼要阻撓朕尋取『青春之泉』?」始皇顧著主人的立場，說話非常柔和。

「你眞的想知道原因嗎?」「海神」問。

「當然。」始皇回答。

「海神」仰天大笑，室內迴聲激盪，正如大海波濤。

「你本爲天上烏龍，掌管天池，因有凡心，謫到人間贖罪，如今你竟然忘本!」「海神」笑著說。

「朕本是天上掌管天池的烏龍?那你呢?」始皇不勝驚詫的問:「天池又在哪裡?」

「本神就是掌管海洋的海神，也就是上帝座前的金龍，天池乃在天上，窮髮之北，有冥海謂之天池。」「海神」從容的回答。

「朕如今統一宇內，貴爲皇帝，還能算是謫放?朕在泰山頂上，明明聽見上帝稱朕爲祂的驕子、愛子，這還錯得了嗎?」始皇驕傲的說。

「嬴政，想不到你謫落人間，也就變得目光如豆起來。你在天上所掌管的天池之大，眞是凡人所不可想像的!舉例來說，其中產有無數鯤魚，每條魚都背寬數千里，自頭到尾的長度，更無法以人間長度來計算，你想想看，天池有多大!」

「眞的嗎?」始皇有點神往了。

「在天池還有種鳥，名為大鵬，背若泰山，翅膀張開有如垂天之雲，振翅一飛就是九萬里，你所謂的宇內眞的是宇內嗎？」

「怎麼，不能算嗎？」始皇不服氣的問。

「當然，」海神豪邁的笑了：「俗語說：『三山六水一份田。』水你管不到，山你管不到，你所管到的只是這一點陸地，但你可知道，不說西域之西還有很多國家，東海和南海以外更有無窮大的陸地和無數多的島嶼，區區一個中原就能算是宇內嗎？眞是寒蟬春生夏死，不知有秋冬，鳥雀騰躍不過幾丈，便自以為高了！」

「朕不和你扯這些，」始皇有點老羞成怒：「只請你告訴朕，為什麼要阻撓朕尋取『青春之泉』？」

「這要分兩方面來說，一是為了你好，假若你取得長生不老之藥，你就一直待在凡間受盡七情六欲之苦，嬴政，你告訴我老實話，自你懂事以後，你有眞正的快樂過嗎？」「海神」哂然而笑。

「……」始皇一時無話可答，他雖貴為天下之主，卻實在想不起什麼時候眞正快樂過。

「另一方面是阻止你侵犯我的掌管範圍，你的野心太大，徐市雖說是主要為你求取仙藥，實在也是幫你在尋找海中島嶼，你要是不死，遲早會侵入我掌管的領域，祖龍，既然已知明年會死，爲什麼不早點安排後事，以便早日歸位，掌管不知要比你所謂宇內大多少萬倍的天池！」

「孽龍，你聽著，不管你如何阻撓，朕一定會戰敗你，取得長生不老藥！」始皇怒氣油然而生，也大聲吼起來。

「嬴政，那你就來試試看吧！」「海神」仰天哈哈大笑：「本神去也！」

張良又是全身顫抖，口吐白沫昏倒在地，項伯連忙上前救醒，用冷水噴臉，並爲他按摩全身。

始皇若有所思的坐下，半晌沉默不語。

蒙毅也走上前去，察看張良的景況。

12

始皇自接到海神挑戰，以及求取「青春之泉」再度出現希望後，他不再提立太子的事，也就沒有人敢再向他提。

另外，他將海神挑戰的事交由太卜占卜，所得到的結果是游徙大吉。

於是他首先遷北河榆中三萬戶到咸陽，並各進爵一級，以應卜象。

接著他下令會稽郡和瑯琊郡，準備樓船百艘，他要親自擊敗海神，以便利徐市登蓬萊仙島，取長生不老藥。

此時，徐市已透過趙高和始皇正式取得連絡。據徐市使者奏稱，徐市率領的童男童女現停留在東海亶洲，相去瑯琊萬餘里。此洲有數萬人家，飲水糧食及用品皆已能自足，不需由中原再行補給。

不過，徐市也上書稟奏，希望始皇能早日擊敗海神，他們將再度前往仙島取「青春之泉」，否則時間已過了這麼多年，童男童女都已長大成人，男女情慾方面的事很難控制，一旦不再是童男童女，又得返回中原換人，耽誤時間就太多了。

經他這一催，始皇開始著急，二十八年派出這些人，當時最小的就算十二歲，如今已是三十七年，算算也是二十一歲的人了，其餘更大的就不必說了，要是換人，往返又得多加兩年的時間，到時候不知又會有什麼變化，當然不可以。

因此他決心今年等到一切準備好，就趁出遊的機會，親自解決海神的問題。

打消了始皇立即立太子的原意，最高興的當然是趙高，他有把握，只要不在這種緊急狀況下立太子，時間一久，這個位置自然而然是胡亥的。

相反的，蒙毅遭到挫折，感到非常沮喪。那天他私底下對張良和項伯說：

「蒙毅承祖蔭得到主上寵幸，一向自命行事方正，想不到要用裝神弄鬼來矇騙主上，而且事情還終歸失敗！」

張良了解他內心的痛苦，只得這樣安慰他說：

「主上爲人做事都極度自信，除了用這方面的辦法，根本就影響不了他。再說，我們的對手是最了解他個性的人，他們用這種方法，我們也不能不以這種方法來對付。」

「蒙毅總是感到這裡不安。」蒙毅指了指胸口，嘆口氣說。

「廷尉其實不必難過，」項伯也插口說：「我們本意是爲了主上好，用的方法有時候需要權變，何況立太子是有關天下興亡的事。」

「唉，也只有用這些話來撫慰自己了！」蒙毅長長嘆了一口氣又說：「主上已決定出遊，日前並向我說，希望張先生能隨去，因爲他這次要與海神決鬥，可能有仰仗張先生的地方，張先生意下如何？」

「張繼是始作俑者，還有什麼話好說，」張良微笑著說：「大人正直，不慣說謊，張繼自小流浪江湖，頗知權變，我跟去也好，以後要和主上應對，說謊的事就由小人來應付。」

「先生言重了，」蒙毅說：「聽到說謊和欺騙，我內心就感到愧疚，面色就會不自然，哪像張先生這樣，裝鎬池君就是鎬池君，裝海神就是海神。」想起張良裝海神的神態，蒙毅忍不住笑了。

張良和項伯看到他心情轉好，忍不住跟著笑。

「還有，」蒙毅微笑不止的說：「那天張先生裝海神的談話，好像是出自莊周的《逍遙遊》。」

「大人博學，正是。」張良說。

「當天我在一旁擔心，深怕主上識破，主上讀的諸子百家不少。」

「小人敢肯定他沒讀過莊周的書。」張良調侃的說。

「爲什麼你敢如此肯定？」蒙毅驚詫的問。

「因爲小人知道他的老師中隱老人不喜莊周，而主上學的是『帝王學』，與莊周的學說格格不入，他也沒時間去讀與自己興趣不合的東西。」

「張先生眞是摸透了人性！」蒙毅哈哈大笑。

張良和項伯也跟著笑。

突然，蒙毅又皺起眉頭說：

「主上準備出巡，又不再談立太子的事，下一步棋我們該如何走？」

「可藉此作最後一擊，看看是否能夠挽回。」張良沉吟的說。

「如何擊法？」

「大人可藉由丞相李斯，請求扶蘇回來留守，這樣扶蘇雖然沒有太子之名，卻有太子之實，只要主上准許，我們便知道他的心意，同時希望大人你也爭取留守，就不必整天要對著主上說謊，內心不斷愧疚了。」

「這倒是個好辦法！」蒙毅高興的擊案說。

三人同時哈哈大笑。

第26章

移風轉俗

1

始皇帝三十七年十月。

始皇出遊，左丞相李斯及廷尉蒙毅從，右丞相馮去疾留守。少子胡亥愛慕請從，始皇許之。幼公主恰好生病，不能隨駕，始皇甚感遺憾。

趙高此時因監工驪山陵墓有功，復任爲中車府令，此次隨行，爲始皇御車。

李斯及蒙毅聯合上奏，請調回長公子扶蘇回咸陽留守。始皇是何等聰明人，早看透了他們的心意，只托言扶蘇監築長城事務繁忙，不准這項建議。

蒙毅和張良只有徒呼負負。

蒙毅奉始皇命，令張良隨行，項伯單獨留在咸陽感到無聊，向蒙毅告辭，回老家下相探親去了。

十一月，始皇行至雲夢，望祀虞舜於九疑山，然後乘船由江水直下，經丹陽起陸來到錢塘。

會稽太守及鄣郡太守均來迎接陪侍，南海尉任囂也在會稽等候。

到達錢塘後，始皇即召集當地父老探問民情，父老經過太守交代，當然只說些民風淳厚，秦法便民等歌功頌德的好話。

始皇聽了自然大爲高興。

那天始皇駕車出遊，返回行宮途中，因爲始皇爲了表示親民，下令不許清道，一路上都有成千上萬的民眾在道旁圍觀，街道兩旁更是連屋頂上都站滿了人。

始皇的車駕一到，民眾紛紛跪下齊呼萬歲。

始皇的轀輬車，當天是由趙高御車，公子胡亥參乘，始皇在萬歲聲中，頻頻左顧右盼，向群眾揮手致意，心裡卻在想：

「我的辛苦還是有代價的，這些黔首都愛戴我！」

過一會他又向公子胡亥說：

「你看到了嗎？這些黔首都是自動自發來的，受全民的愛戴就是君王的最大報酬！」

「兒臣也作如此想法。」胡亥說。

「但自古至今，歷史上哪有像陛下這樣事必躬親，勤於治政的皇帝？」趙高在一旁乘機拍馬屁。

「不然，黃帝擒蚩尤，戰於涿鹿之野；堯王親九族，章百姓，合和萬國；舜和禹親政愛民，治洪水，使得天下百姓都能安居樂業，自有朕不及之處。」始皇謙虛的說。

「父皇也有禮讓的時候！」胡亥笑著說。

「三皇五帝和陛下相比，只是如以燭火比日月罷了，」趙高諂笑的說：「以前五帝之國，地方不過千里，諸侯服不服，來朝不來朝，全都沒有力量管制，哪像陛下這樣天下政令統一，德服諸夷！」

「唉，話雖是這樣說，但百廢待舉，統一天下已十年，仍然有做不完的事，黔首不得休息，朕也無法安心。」始皇嘆口氣說。

「這都是以前所謂賢君無爲而治的結果，現在事情堆在一起，讓陛下操心。」趙高說。

「看這麼多的事，恐怕朕是不能及身做完了！」連日旅途，始皇臉上已出現倦容，他喟然歎說：「朕到底已是五十歲的人了，以前讀古籍讀到過孔丘所說的：『天若假年，五十以學易。』現在朕才完全體會出他說這句話的心情。」

趙高一聽始皇這樣說，暗自在心中警惕，看樣子始皇又想起了立太子的事。他連忙在御者座上回首恭身說：

「陛下正富春秋，而且只要這次戰敗海神，去除求取長生不老藥的障礙，陛下就會壽與天齊了！」

「但願如此！」始皇不再說話，陷入沉思。

兩旁歡呼萬歲的聲音，他聽而不聞；圍觀下跪的群眾，他也視而不見。

他想起海神挑戰的事，連帶想到大秦沒有一支強大的樓船軍。海神應該說得不錯，「三山六水一份田」，海中不但有島嶼，海外一定還有其他的國家。秦一直處於內陸，雖然也設有樓船將軍之職，但水軍一直不強大，只能用在江河支流上，作運補及護航之用。

原楚國江上水師，雖有點規模，但自天下統一後，大多解散改作民用，尤其是驪山陵墓、咸陽阿房宮的修建、石頭木料的運輸，全用到這些船，船上的戰鬥設備早就拆除掉了。

照說，原齊、燕臨海，而且海岸線極長，但它們只以大海為屏障，假想敵完全是來自西方的秦國強大陸軍，根本未想到向海洋發展，所謂的水師也只能在江河上擔任巡邏、護航及運糧等任務。

始皇又想到：現在大秦已打通了渤海、黃海、東海及南海等四海，因為缺乏強大的海上水師，所以海面上海盜橫行，各自佔海島為王，甚至還向過往船隻收保護稅，不然就連人帶船擄走。男的當奴隸，女的姿色好的，留著做頭目妻妾，姿色較差的，就做為嘍囉公共的洩慾工具。

眾多案件報到各郡守那裡，郡守想處理都沒有這個能力，只有向上呈報，但太嚴重的案情怕始皇動怒，還都隱瞞下來，只是輾轉傳入他的耳中。

始皇想：這是否就是海神所謂的侵入他的領域？嗯，他要建立強大的水師，這是一舉兩得的事，既可以保護由南到北的貿易船運，同時還可以開發附近的島嶼，進一步探找出海外之國。

當然順便也可以尋覓仙島，找那長生不老之藥！

誰是編練水師的人選呢？幾個曾任樓船將軍的人，在他都認為不夠理想。

任囂，對，就是他！以他的才幹，又擔任南海尉這麼多年，正是最好的人選，他正好在會稽等候，見面時要和他好好談這件事。

正在他想得入神的時候，突然覺得車子劇烈震動，六匹黑馬人立長嘶，趙高連聲吆喝。

「有刺客！」有人高聲叫喊。

周圍郎中拔劍將始皇座車團團圍住，形成人馬牆層層護衛。

2

虎賁軍都尉帶著眾多兵卒擁著一對男女上前稟奏。

「啓奏陛下，只是一對攔駕告狀的男女，臣罪該萬死，護駕不周，驚動陛下。」

始皇沒有答話，只看了這對男女一眼。只見男的面目清秀，唇紅齒白，稱得上是一表人才，年齡不會超過二十，而女的大約十五、六歲，面貌和男的長得極像，看上去像一對兄妹。

「你們有什麼冤枉？」始皇和藹的問：「爲什麼不去向所轄縣府申訴？」

「天大的冤情，不只關係小人兄妹而已。」男的侃侃而言，似乎並不恐懼這個傳言中動輒坑人的皇帝。

這時蒙毅已下車，走到始皇車前行禮。

「廷尉，這對兄妹攔輿車告狀，該如何處理？」始皇問。

「請陛下交臣處理，問明案情再行稟奏。」

「別難爲他們，」始皇語氣柔和得連自己都感到奇怪：「和你同車帶回去吧！」

兩人闖駕，旁觀民眾全都看得清清楚楚，大都等著看始皇大發雷霆殺人，一見竟是這等輕易打發，全都跪下狂呼：

「始皇帝仁慈！陛下萬歲！萬萬歲！」

只有急忙趕到的會稽太守，早已嚇得滿身冷汗。

「走吧，沒事了。」始皇說。

車隊在萬歲聲中，又慢慢啓動。

晚間，蒙毅來行宮回報審訊結果。

原來正如始皇所猜測，這對男女果然是兄妹，一名吳鴻，一名吳秀。自幼父親去世，母親改嫁，兄妹相依爲命成長。母親改嫁時，吳鴻才八歲，全靠他幫人做雜工，以及鄰居幫助，兄妹倆才能長大。

「哪有這樣狠心的母親！」始皇勃然大怒，他想起自己淫狠的母親，也回憶到八歲和皇后同遊邯鄲的情景。

「據吳鴻供稱，這裡的文教風俗並不如父老們所說的那樣好，而是淫風極盛，未婚前濫交成風，桑前榆下野合，習爲常事。即使婚後，男女交往也不避嫌，通姦雜交都是司空見慣的。吳鴻母親就是丈夫還在時，便與別人有染，丈夫一死，就丟下一對小兒女不管，跟那個男人私奔了！」

「事隔這麼多年，吳鴻還爲此攔朕車駕告狀？」

「不是，而是爲了一件更重大的事。」

「哦？說來聽聽。」

「原來這地方還有一項行之千年的惡俗，就是所謂錢塘君納姬。每年錢塘君生日就要擴大慶祝，以盛大儀式將剛及笄的處女丟入江內，謂之送親。」

「錢塘君何許人也，誰人所封？」始皇印象中沒有這位神。

「相傳錢塘君爲海神之子，由海神所封。」

「這就是說今年納姬選中了吳秀？」始皇這下明白吳鴻冒死攔駕告狀的原因了。

「正是，陛下聖明！」蒙毅極帶感情的說：「本來可以用錢賄賂巫婆另行選人，但兄妹生活都感困難，哪有這個餘錢！」

「錢塘君選姬是如何一個選法？」始皇開始感到興趣：「大概說給朕聽。」

原來錢塘君選姬，乃是由地方巫者在生日前一月宣佈，說是由錢塘君托夢要幾月幾日幾時生的女孩，長得是個什麼模樣，然後就到處找。

其實，巫婆早就打聽好哪家有這樣的女孩，她一般都是找有錢無勢家的女孩，父母趕快送錢要她另找生辰八字相同的女孩，或是自己出高代價，買貧家女孩代死。

「這種淫風佚俗，難道地方官都不管嗎？」始皇擊案大怒。

「不是不管，而是不敢管！」蒙毅搖頭嘆氣說：「天下剛統一，大秦派的郡守首次到任，下令禁止此事，竟引起一場民間大暴動，錢塘江流域附近縣的數萬民眾包圍郡守府，最後郡守答應不管這種風俗，才算妥協。」

「朕怎麼不知道有這回事？」始皇懷疑的問。

「郡守當然不敢上報，」蒙毅微笑：「地處偏僻，平日就法令不行，民間信仰高於法律！」

「不行，這件事必須制止。」始皇堅決的說。

「陛下，事關民情，必須愼重處理，交給臣來辦吧！」蒙毅深怕始皇的剛愎脾氣會造成大災難。

「不，事關風俗教化，本是郡縣父母官的職責，既然他們管不了，而朕正好在此，這就是朕無可旁貸的責任。朕代天牧民，郡守縣令又是爲朕分擔職守，他們負擔不了，當然由朕親自來。」

「交李斯丞相辦理吧，何必陛下親擔煩憂！」蒙毅還想力諫。

「民間如此信仰錢塘君，是否有什麼靈驗？」始皇對蒙毅笑著說。

「每年錢塘君生日都適逢大潮，而且江水時常泛濫爲害，據臣問了一些父老說，那年就是因爲沒有納姬，所以江水泛濫成災，因此才釀成暴動。」蒙毅回答。

「那以後年年納姬，是否就沒有水患了呢？」

「應該還是有吧，」蒙毅回答：「據郡守說，三年前就有一次不小的洪水，淹沒了不少田地房屋，奪走了不少生命。」

「那證明不是錢塘君納姬的問題，而是水利沒弄好。」始皇微笑。

蒙毅看著始皇半晌無語，心裡在想——多英明睿智的皇帝，爲什麼逢到自己長生不老的事，就變得如此迷信幼稚！

始皇無語的站起來，在室內走來走去沉思，很久很久才又復座，他徐徐的對蒙毅說：

「你還有什麼意見？」

「是否要找李斯丞相來議事？」蒙毅小心翼翼的問。

「不必了，朕已決定如何辦理，你記下來轉告會稽郡守，用不著朕另下詔命。」

「是。」蒙毅恭身答應。

此時近侍拿來筆墨和白絹。筆爲羊毛製成，由蒙恬最新發明，書寫便利迅速，比以往用竹、玉和金屬製成的硬筆方便多了。

始皇鄭重的一個字、一個字的唸出：

「第一，命會稽太守立即傳朕意旨，永遠廢除錢塘君納姬風習。

第二，限三個月內擬定浙江（錢塘江）整治計劃上奏。

第三，三天後另召集一批父老來與朕話桑麻，告訴他朕會親自按這些人的話，一一到現地去證實！」

3

三天後，始皇本來約定接見父老的時間訂在晚上，而且有一次盛大的賜宴。

但在一早他就被近侍吵醒。近侍慌慌張張的啓奏：

「陛下，行宮外圍滿了好多民眾，說是來請願的，正與禁門郎中大吵大鬧！」

「有這樣的事，」始皇簡直不能相信自己的耳朵，他不耐的說：「傳虎賁軍都尉派人驅散！」

「是！」近侍行禮正要告退。

另一名近侍又進來報：

「李丞相及蒙廷尉求見。」

始皇昨夜睡得很晚，今天一大早就被吵醒，很想罵人揍人甚至是殺人，但看到近侍滿臉驚惶、懼怕他發脾氣的樣子，又有點於心不忍，他知道若不是發生了重大的事，近侍絕不敢驚吵他的睡眠。他忍住滿腹怒氣說：

「好吧，要人進來服侍朕梳洗，讓他們在外面等一會。」

等他梳洗已畢，來到臨時朝殿，只見李斯、蒙毅、虎賁軍都尉等人，全在殿中等候，見他到來，一起行禮迎接。

只見李斯滿臉著急，會稽太守更是面無人色。始皇看著神色稍微鎮定的蒙毅問：

「有什麼事故發生嗎？」

「啓奏陛下，禁門外正有數萬黔首聚集，要求陛下收回成命。」蒙毅恭身說。

「哦？」始皇不在意的笑了笑，裝作不知的問：「什麼成命？」

「廢除錢塘君納姬的事。」蒙毅明明知道始皇是明知故問，但不得不硬著頭皮言明。

始皇沒有作聲，只是用威稜四射的目光掃視諸人，當他目光最後停留在會稽郡守身上時，郡守肥胖龐大的身子，竟像被挑動的紘一樣，渾身都在顫抖。

「他們平日都是用這種方式向官府談事情嗎？」始皇語氣平和的問。

「不……不……不是。」郡守聲音顫抖，結結巴巴的說。

「好，你們都跟朕到外面去看看。」始皇言罷，起立向外走，李斯等人緊緊跟隨。

他們上了行宮平台，民眾一見始皇出來招手，有一半的民眾跪下口呼萬歲，另有一半人靜立不動，其中更有少數人舉手高叫起來：

「陛下，你在這裡只停留幾天，我們卻要子子孫孫世居於此！」

「對了，洪水淹沒田地，你也不會沒飯吃，淹也淹不死你家的人！」有人作更激烈的發言。

「你這樣做，是會遭神譴的！陛下！」

「嬴政，你凶狠不顧人，總不能不怕神明！」喊聲中，竟然有人敢直呼他的名字。

「……！」

「……！」

眾多的聲音混在一起，像大江波濤，更像雷鳴。

始皇臉色平靜，就像欣賞窗外暴風雨的雨景，他要近侍搬來席案，就在平台前坐下來。群眾前面，身穿白色寬袖寬袍、頭戴鳩冠的巫婆，帶領一干穿著白袍、未戴冠、披散長髮的男女弟子，在群眾前面起舞，口中狂喊：

「吾乃錢塘君是也！嬴政膽敢侵犯到孤家頭上，必須加以懲罰！爾等百姓千萬不能聽信他的，免得遭受洪水淹頂之苦！」

錢塘君神威眞的非同小可，巫婆一開口說話，全場數萬人竟鴉雀無聲的靜止下來，連小孩的哭叫聲都沒有了，始皇看得暗暗皺眉。

「丞相，你看如何辦理？」始皇問站立在身旁的李斯。

「陛下，民意……」

李斯的話還未說完，始皇就微笑的打斷他說：

「這不是民意，而是神意！」

「陛下明鑒！神意……」

李斯的說話再度遭到打斷，始皇突然失去笑容，嚴厲的對他說：

「也是巫婆之意！」

李斯恭身肅立一旁，不敢再言。始皇又聲色俱厲的將會稽郡守召到前面來說：

「這是你平日養癰成患的結果！」

「臣罪該萬死！」會稽郡守跪伏在地渾身顫抖。

「現在該如何處理？」始皇叱問。

「交由臣去處理。」郡守猶豫的說。

「去吧，已經找到朕的頭上，用不著你代爲出頭了！」始皇嘆了口氣，面色變得緩和起來。

他又向侍立一旁的蒙毅問：

「廷尉，假若交由你來處理，你要如何做法？」

蒙毅沒有答話，考慮起來，始皇沒有催他，只是又向台下群眾中望去。

只見四方八面還不斷有群眾扶老攜幼而來，人越集越多，有的還手捧燃著香燭的香案，口中高叫萬歲。

巫婆和一班男女弟子舞得越來越激烈，叫喊聲也越來越大，全是以錢塘君的口吻直呼嬴政的名字挑戰。

始皇嘆口氣向群臣說：

「白起坑趙降卒四十萬，這裡大約有五、六萬人吧，盡皆坑殺並不為多，只是還有這麼多焚香燃燭，口呼萬歲的善良黔首！」

他說話時，額前青筋直跳，表示他已動了殺機，蒙毅連忙跪倒在地，急聲說道：

「臣已想好對策，請陛下回駕，這裡交由臣來處理！」

始皇沉吟了一下，微笑著說：

「好，朕授你全權辦理，該果斷時就該果斷！」

接著他又轉向李斯等人說：

「跟朕一起下去吧，你們留在這裡沒有用處。」

4

蒙毅走到平台前面，向群眾揮手要求安靜。

看到始皇離去，群眾先是一陣錯愕，繼起的是極度的混亂。有人哭著喊萬歲，也有人跪地哭泣，更有人高聲叫罵。

失去了主要敵人和觀眾，「錢塘君」也走了，巫婆和她的那些男女弟子呆立當場，停止了舞蹈和狂喊。

蒙毅一揮手，全場都靜止下來。他大聲喊著說：

「陛下已全權交由本官處理此事，大家稍安勿躁！」

群眾靜了下來，有人竊竊私語：

「這人是誰？身著紅袍，腰繫玉帶，官職不小！」

「看來如此年輕，皇帝怎麼會全權交他處理？」

「……！」群眾私議越來越大聲，現場又逐漸混亂起來。

「我是廷尉蒙毅，已蒙皇帝詔命辦理此事。」

他這句話一出，群眾有了信任，又開始平靜等他說話。這時他先轉身對虎賁軍都尉說：

「你先帶一萬人馬，守住各處通道，只准出不准進！」

「得令！」虎賁軍都尉下去調動兵馬。

然後蒙毅又大聲轉向巫婆說：

「妳既然是奉神命行事，現在請上來與本官一談，本官乃是奉人君之命，應該夠資格與錢塘君商議！」

巫婆聽到蒙毅如此說，她不但不敢上前來，反而率領男女弟子往人群中躲，有的人惡作劇將他們推出來，他們又往人堆中擠，群眾中開始有了嘻笑聲，有人說：

「妳是神君代表，還怕什麼人君代表！」

「蒙毅！你這樣褻瀆神明，你會遭到天譴的！」她尖叫著往人多的地方擠，群眾又將她擠拉到最前面。

「怕什麼，就去跟他談！」有人虔誠的說：「神會顯靈保祐妳！」

「平日拿錢塘君欺壓矇騙我們，現在怎麼啦，見到大官就不靈了？」有人信心開始動搖，怒罵起來。

蒙毅本來想派人直接逮捕巫婆，卻怕激起民變，殺戮太多，一見部份群眾信心動搖，他大聲宣佈說：

「大家已見到巫婆的心虛，她根本是裝神弄鬼騙人！各位不要再上她的當，現在各自回家！本官自會公平處理這件事！」

蒙毅此話一出，平時不滿巫婆行爲和信心動搖的民眾紛紛離去，巫婆在人群中大叫阻止，但大部份的人都不理她，不到半個時辰，人已經走掉大半。

聞風而來支援的人，被虎賁軍擋在外圍進不去，看到包圍圈內出來的人，紛紛上前來問，明白裡面的情形後，紛紛散去。

不到一個時辰，包圍圈內剩下的「死忠」民眾已不到一萬人，而且沒有了老弱婦孺。他們圍繞巫婆和她的弟子而坐，不再出聲，似有誓死保護他們的決心。

蒙毅見時機已到，他又再大聲宣佈：

「現在給你們最後一個機會，限半個時辰以內走開，否則以聚眾威脅官府論罪！」

這項罪名一加，片刻間群眾又走掉一大半，剩下的只是一些死硬份子，巫婆一見大勢已去，這時「錢塘君」又到了。她帶著弟子站到平台下面，兩眼緊閉，渾身顫抖，又狂舞狂叫起來，儼然是男聲君王口吻：

「吾乃海神之子錢塘君是也！蒙毅，你爲何阻擋孤家納姬？」

蒙毅心裡暗笑，但在表面上不得不尊重民俗，他站起來拱手行禮回答說：

「我乃奉命行事，身不由己，還望錢塘君恕罪。」

「你可轉告嬴政，別阻攔納姬之事，此事行之已有千年！」

「貴神既爲龍又爲神，納姬應納海中魚蝦，甚至是南海的美人魚，再不然也是陰間鬼魂或仙人，爲什麼偏好凡間活女子？」

「這是孤家的事，用不著你們過問！」「錢塘君」怒斥。

「如今天下統一，你要的是大秦子民，就不能說不關我們的事了！」蒙毅一面口中吆喝，一面也在心中想——爲什麼裝神弄鬼的事一再被拆穿，還是有這麼多人相信，連英明的始皇帝都包括在內！

「錢塘君」不再回話，只是「附體」在巫婆身上怒吼咒罵：

「蒙毅，假若你不聽孤的警告，一意孤行，你將死得很慘！嬴政的王朝也將不保！孤要發動洪水，淹沒附近十多個縣！」

「假若你要這樣做，上帝自會找你算帳！」蒙毅哈哈大笑。

他再看看計時用的香已燃完，半個時辰已到，他對侍立在一旁的虎賁軍都尉下令：

「派人馬包圍住這幾千人，看他們無水無食能維持多久，等他們飢渴得不能動時，再進去抓人！」

5

這是一個莊嚴盛大的行列，也是一個稀奇古怪的行列！

最前面是黑盔、黑甲、黑旌旗的六千虎賁軍開道，接著是六部轀輬車，坐在第一部車中的始皇捲起車簾，讓萬民能瞻仰他的容顏，隨後是各大臣的車駕，再後面又是殿後的六千虎賁軍。虎賁軍後面步行的，卻是數千聚眾鬧事的囚犯。

最後幾部車，則塞滿了巫婆穿白色法袍的男女弟子。巫婆仍然是鳩冠白袍，獨乘一部車，遠遠看去和往日一樣神氣，但就近一看，才看得出她形容憔悴，臉上原來已夠深的皺紋，如今變成車轍痕一樣橫豎交叉。

再看清楚點，還看得見她是老淚縱橫，啜泣不已。

在殿後的郡卒前面，幾部雙馬拉的馬車，坐著身穿白色法袍的張良和從人，他要為今天的始皇祭江儀式贊禮。

江邊風大，江中更是浪濤滾滾，正是漲潮最大時刻。天氣雖冷，空中也密佈陰霾，有著要下雪的徵兆，但江邊還是圍滿了民眾。

見到皇帝親臨已是一生難逢的盛事，何況是他要親自和江神鬥法。

始皇一下車，圍觀民眾紛紛跪倒高呼萬歲。

江邊早準備好了祭禮三牲和香燭，張良一到，便開始舉起法杖作法，口中唸唸有詞。巫婆也被帶到江邊，要她作法請錢塘君附體，怎麼再三的請，錢塘君就是不敢上身。

奉常少卿焚化了李斯所撰的祭禱文，內容大要是：

「江神既然是龍又是神，納姬應納江中魚蝦，或者陰魂仙人，爲什麼偏要凡間活女子？朕爲天之驕子，奉天帝命代牧萬民，就有保護子民不受逼迫傷害的義務，希望貴神能上體天帝好生之德，以後改用選中女子的神主牌位和生辰八字代替。」

前面幾句話爲蒙毅和「錢塘君」對話時所提，稟奏始皇後，始皇大爲欣賞，用作祭文的主題。

輪到始皇行禮時，他只長揖三次，並不跪下，因爲按照道理，山川江海都應在他這位天子的管轄之下。

他等候了片刻，錢塘君仍然不肯附身，當然就沒有回答，他有點不耐煩，向侍立在一旁的蒙毅說：

「要錢塘使者巫婆下去討回音吧！」

蒙毅答應了一聲：「是！」就命侍衛將巫婆抬起要往江中丟。這時巫婆全身顫抖，但卻是被嚇的，而不是錢塘君附體。

「陛下饒命！」巫婆尖叫。

始皇轉過頭去，裝著聽不見。蒙毅調侃的對她說：

「妳最少也丟了二、三十個年輕女孩下去，現在也讓妳嘗嘗被丟的滋味！」

「老婆子也是奉神命行事！」巫婆試圖用神的權威作最後掙扎。

「那妳就更應該下去，討了回音趕快回來，」蒙毅又大聲喝了一聲：「丟，送神婆啓程！」

幾名彪形侍衛，合力將瘦小的巫婆高舉過頭，擺動幾下再合力丟出去，巫婆慘叫一聲，落到白浪濤濤的江中，寬大的白色法袍還讓她載浮載沉很久，最後一股大浪將她捲了進去，再也不見蹤影。

蒙毅向跪在面前的二十多個巫婆男女弟子說：

「你們的師父要是回來晚了，你們要一個接一個去催！」

二十多個人叩頭如搗蒜，額頭都見了血，齊聲大喊：

「小人等只是奉師命行事，還望大人饒命！」

始皇拱手而立，等了片刻，微笑著向李斯等群眾說：

「看樣子錢塘君架子很大，朕站在這裡等候，他還故意遲延，我們回去等吧！」

始皇和眾大臣登車回程，圍觀群眾紛紛跪下狂呼萬歲。其中有的人是衷心愉快，他們平日受制於巫婆和「死忠」於她的信徒，受害也敢怒不敢言。

有的人雖然還是相信錢塘君有靈，但這樣一來，他們更相信始皇是天下之主，錢塘君不敢和他鬥，因此就算淹死了他的代言人，他仍然遲不見面。

但還是有些深信的人，眼睜睜的等著看巫婆安然無恙的回來，心裡害怕不久就會淹洪水，同時埋怨始皇得罪神明。

回到行宮後，始皇下詔——

一、會稽郡守監督不周，聽認邪俗橫行，立即削爵撤職，降為庶民。

二、錢塘縣令對此坐視不問，甚至有推波助瀾之嫌，著予削爵撤職，罰到北邊築長城。

三、五千愚昧信眾，聚眾威脅官府，本應處死，姑念無知，發放驪山築陵。

四、一干巫婆弟子，妖言惑眾，本應棄市，梟首示眾，念其年幼，男的發往北邊築城，女的收為官奴。

其實照始皇的原意，乾脆全坑掉算了，由於蒙毅一再苦苦代為說情，始皇才作了如此判決。

6

始皇辦完這件事，仍感意有未足，那天他不快的向李斯和蒙毅說：

「朕奉天命牧民，但以往只注重法令制度及各種工程建設，疏忽掉民俗教化，但眞正治民根本在於轉風易俗，教化黔首於春風化雨之中，丞相、廷尉在這方面都有協助朕的責任。」

「是，陛下，臣今後在挑選郡守和縣令時，一定會注意到這點。」李斯唯唯遵命。

「以臣之見，會稽與前閩越接界，受到閩越族人風俗影響甚大，淫風極盛，而五倫親情甚爲淡薄，這不是一朝一夕可以糾正過來的。」蒙毅也接著稟奏。

始皇點頭稱是，繼而長嘆一聲說：

「朕每至一地，只能作短暫停留，風俗教化乃長遠之事，而且郡守縣令推出來見朕的地方父老，全是報喜不報憂，朕也無法得知眞正民情！」

「現在吳鴻兄妹還在臣處，何不找來問個明白。」蒙毅在一旁啓奏。

「對啊，立刻將他們找來！」始皇高興的笑了。

吳鴻兄妹被帶到始皇面前，跪下行禮高呼萬歲已畢，始皇賜席要他們坐下。始皇對這對俊秀兄妹越看越愛，不覺動了憐惜之情。他首先問吳鴻說：

「看你面目清秀，舉止有禮，甚爲討人歡喜，你是否讀過書？」

「小人八歲父死，母親改嫁，妹妹只有三歲，全靠鄰人見憐，給點雜工做，勉強養活兄妹兩人，哪有錢入學讀書！只是在放牛之餘看點簡冊，學學書寫，晚上得到一位儒生指點，倒也讀過一點諸經百家，只是……」說到這裡吳鴻再也說不下去，因爲他想說的話是——現在陛下下令燒書，已經是無書可讀了。

「只是什麼？」始皇微笑著問。

「只是因無良師教導，沒有什麼進展。」吳鴻話鋒轉得極快。

始皇一時高興，轉向李斯說：

「你認爲孺子可教嗎？」

「刻苦向學，生性聰明，反應極快，應該是個可教之材。」李斯對吳鴻倒也是衷心喜歡。

「那要他向你學刑名獄政之學吧！」始皇高興的說。

吳鴻看了看妹妹，猶豫著不知謝恩。還是吳秀靈敏，立即避席頓首代兄道謝：

「謝陛下鴻恩！」

始皇注視了吳秀一會，心想眞是十步之內必有芳草，這女孩秀外慧中，敏慧程度和幼公主相近。幼公主既不願嫁胡亥，胡亥卻一直在等她，已經二十一歲了還未娶正室，這個女孩倒可一試，胡亥應該找個深知民間疾苦的女子來匡正他。他心中如此念轉，口裡卻問吳鴻：

「你幼妹都知道代你謝恩，你反而猶豫不決，有什麼困難嗎？」

「臣兄妹相依爲命……」吳鴻也避席頓首啓奏。

始皇沒等他將話說完，便打斷他的話，慈祥的微笑說：

「兄妹情深，這表示你天性淳厚，但是，傻孩子，丞相府這樣大，還怕容不下你一個妹妹？」

始皇言罷哈哈大笑，眾人也跟著笑。始皇再轉眼看胡亥，只見他目不轉睛的看著吳秀，他又笑著說：

「吳秀！」

「民女在！」

「假若妳喜歡住宮中，可以任妳挑選。」始皇口裡這樣說，眼睛卻是看著胡亥的。

這次可是輪到吳秀猶豫了，她欲語還休的低著頭。

「朕明白妳的意思，妳怕宮女嫁人不便，耽誤了青春，那是以前的事，朕的後宮宮人足三年即可志願擇人而嫁。再說，朕不是要妳去充當宮女，而是要妳去陪伴幼公主。」

這次吳秀謝恩謝得特別快。

始皇忍不住微笑，眾臣看到始皇難得像今天這樣好興致，也都湊趣的跟著哄堂大笑。

接著始皇又問了吳鴻一些風俗民情，發現他年紀雖輕，卻富有分析事物的能力，而且在談話中，不時出現精闢獨到的見解，不由得對這對兄妹更加憐惜，立意要培植他們。

經過和吳鴻的一番談話，始皇對這個地區的民間疾苦，有了更深刻的了解。

原來這個地區淫風盛，還有一個基本的辛酸原因。

這個地區極為貧困，很多家庭只有一間茅屋以蔽風雨，男女老幼大小雜居一室，自小對男女之事耳濡目染習以為常，亂倫的事也司空見慣。

另外，為了多數人家貧困，娶不起妻，所以流行一種租妻習俗。某甲可用若干租金向某乙租妻若干時間，有的是約定時間歸還，也有約定不限時間，直到生孩子才還，甚至有要等到生男孩才歸還的。

當然租金多寡視承租人的心願及女人姿色而定。初時這種習俗完全是為窮人著想，娶不起妻子而想延續香火的，可以用少數的租金完成心願；生活不下去或是有急難的，也可藉著出租妻子，貼補家用或救一時之急。

但後來延伸到富人也揷上一腳，看到某貧家妻子貌美，就用點錢租回來享用一段時間。

於是，這中間的糾紛就層出不窮。有的女人貪慕富貴，時間到了不肯回去；有的懷念丈夫和孩子，在別人家渡日如年，受不了思念之苦，或受到虐待，在別人家自殺的、逃跑的，這場官司就打不完。當然其中也有仙人跳騙錢、威脅恐嚇等等訴訟，常教地方官頭痛。

最要緊的，生的孩子也常會鬧糾紛，時間拿捏不準，算算都有可能，生男孩兩家搶著要，生女孩兩家都不承認等等問題，不但會打官司，有時還會引起打殺，甚至是兩族之間的械鬥。

始皇一邊聽一邊搖頭，他感嘆的對李斯等人說：

「調和鼎鼐，移風轉俗是丞相的職守，聽訟直斷是廷尉的責任，你們兩人有什麼辦法？」

李斯和蒙毅兩人都低下頭，半晌無語。

「唉，你們一時想不出，回去思出對策再來奏朕！」始皇長嘆了一聲。

7

始皇經由李斯丞相下詔，命令代理郡守及各縣令（長）——

一、注意教化倫理，長幼有序，男女有別，不得雜居一室。

二、禁止租妻習俗，違者男發邊築城，女收爲官奴。

三、男女通姦野合，兩皆未婚者即行婚配，男方終身不得休此妻。

四、已婚男女通姦，男發邊築城，女處死。

五、已婚女子與未婚男子通姦者，女處死，男發邊築城。
六、已婚男子與未婚女子通姦者，男發邊築城，女收爲官奴。
七、強姦或脅迫成姦者，男犯處死，女犯者收爲官奴。
八、已婚男女私奔者，男處死，女有子者處死，無子者收爲官奴。
九、未婚男女愛戀，受宗族父母反對而私奔者，准予成婚，但終身不得離異。
另外，始皇召集了代理郡守和有此不良風俗的各縣令（長），明示他們，嚴刑峻法只是治標，想治本先要使黔首富裕，所謂衣食足而後知榮辱，倉廩實而後知廉恥。修築堤防，防止水患，挖渠道，建水庫，將荒地變良田。始皇並當面交代丞相李斯，回咸陽後即派水利人才來協助，並派遣園藝和紡織專家來此教男耕女織。

始皇並且親自視察各個官衙，發現行政效率太差，尤其是訴訟案件堆積如山，一件案子經年累月都不判決。始皇當然明白這是貪官汚吏索取賄賂的花招，他一氣之下，將這些查有拖延實據的官吏全部革職，發往北邊築長城，一時之間，官吏個個膽寒，而黔首人人稱快。

由於吳鴻事件的鼓勵，敢於到行宮告御狀的民眾逐漸增多，先還是由李斯或蒙毅處理，發還給所屬各縣或郡審理，但有很多是不服郡守的判決，只有由蒙毅親自審問判決。

那天始皇半開玩笑的對蒙毅說：

「朕這生幾乎所有的事都經歷過，就是沒問過案，蒙卿，這幾天忙得如何？」

「前太守昏庸無能，凡事都拖，積壓的不服案件，全都告到行宮來了。」蒙毅哭喪著臉啓奏。

「好了，讓朕明日親自來處理，嘗嘗問案的滋味。再者，告來的有什麼最疑難的案件沒有？」

「越是重大案件，牽涉多，證據也必多，反而容易處理。只有一件看似無關的案子，拖了幾年，經鄉里調解不成，告到縣、郡，總有一方不服，其中還曾引發一場兩姓間的大械鬥，死傷了不少的人，案子仍然沒有解決。」

「哦？還有這種事？」始皇驚詫的問：「是件什麼案子？」

「租妻生子案，」蒙毅笑著答覆：「但願陛下這項禁令生效，永遠不再發生類似事件。」

「案情怎樣？說來聽聽。」始皇大感興趣。

「有某甲向某乙租妻一年，言明有無生子到期都得歸還，但某乙妻至某甲處不滿足月生下一子，某乙就說這個兒子是他的，因為照生產月份就可知道，而某甲卻堅持說孩子是到他家才受孕，只是生下不滿足月而已。」

始皇聽到這件案子不由想起自己的身世，臉上流露出傷感，但他裝著不經意的問：

「母親本人應該知道，怎麼會釀成如此大事？」

「那個母親先前說是帶孕過來的，後來經過某甲的威脅，又改口說兒子的確是某甲的，然後經不起本夫某乙的苦苦哀求，又再說是某乙之子，甲乙反覆威脅哀求的結果，母親只有說她自己也弄不清楚！」

「縣令和郡守如何判呢？」始皇問。

「縣令判在某甲處生的就該屬某甲。某乙不服告到郡守，郡守改判按月份算，不可能七個多月生子能養活，又改判為帶孕出租，兒子應該是某乙的。某甲又不服，於是演變成大械鬥。」

「孩子今年多大了？」

「三歲了。」

「那應該看得出像誰了。」

「難就難在這一點，這男孩子長得和他母親一模一樣，和兩個男人都有點像但又不太像！」

蒙毅嘆口氣說。

「竟有這種巧事！」始皇大感興趣的說：「明天傳兩造，讓朕親自看看。」

8

次日，始皇派人在行宮門口張貼御榜，公開接受有冤屈者告御狀，並在進門處設置大鼓一面，有申告者擊鼓，就有近侍出來接待，這種擊鼓告狀後來經始皇變成制度，命令全國施行，成爲後世的通規。

始皇爲了表示親民及公平，也在御榜上宣告，審判時，黔首可自由旁觀，但不得喧嘩滋事。

那天，始皇據高案而坐，下設左右兩個席位，分坐著李斯丞相和蒙毅廷尉，庭中佈滿近侍和郎中。

始皇這次將從中隱老人那裡學來的「一心多用」技巧，發揮得淋漓盡致。

他同時詢問幾個人，要這幾個人同時答覆，他口中又在詢問別的事，而手上還不斷的批閱文件，速度幾乎是別人問案速度的十倍。另外，他的判斷準確明快，語詞中偶爾亦出現機智幽默話語，使得觀審的人忍不住，顧不得喧嘩的禁令而哄堂大笑。

他一個上午就清理了蒙毅多日來堆積的所有案子。

不但觀審民眾嘆服始皇帝眞是神人，李斯和蒙毅這也才明白，始皇爲什麼能一天批閱一石（一百二十斤）的奏簡，而且每一道硃批都讓他們心悅誠服。

上午休審時，庭中訴訟兩造和觀審人員，以及圍聚在行宮外看熱鬧、打聽消息的民眾，全都自動的跪下高呼：

「始皇帝天縱聖明！萬歲！萬歲！萬萬歲！」

始皇用過午膳，休息一會，接著御審租妻親子案。

行宮內外、刑庭周圍全都擠滿人群，郎中左令憂心忡忡的向始皇稟奏要限制觀審人數，以防不測，始皇笑著說：

「你看不出嗎？黔首真心喜歡朕！」

郎中左令也就不敢再說什麼了。

近侍帶上訴訟兩方，分別跪在左右，中間跪著那個帶著孩子的母親。

兩個男人都長得一副憨厚模樣，典型的種田莊稼人，女的雖然是荊釵粗服，倒也是收拾整潔，頗有幾分姿色，他們全都低著頭，準備皇帝問話。

那個三歲的孩子，長得的確俊秀可愛，難怪兩家都搶著要，不惜刀棍相見。

他不耐久跪，也不怕生，裝出一副懂事的樣子，壓低了聲音問母親：

「媽，跪夠了沒有？」

說著就要站起身來，他母親將他按下跪好，再壓低他的頭，他偏偏要將頭抬高，兩隻黑白分明的大眼睛盯著始皇看，時而轉動眼珠搖搖頭，像有要向始皇問話的可能。

始皇也注視了他很久，的確，正如蒙毅所說的，單憑長相，他也看不出這個可愛的孩子該屬哪個男人。

他先簡單的問了姓名年籍，然後問了問案情，要兩個男人各自申辯理由。

兩個男人開始還能按照規矩，一個接著一個講，跟著說得越來越激烈，竟忘了是上面坐著的天子在問話，兩人針鋒相對，直接你一句我一句的吵了起來。

始皇坐在上面，只微笑地看著他們吵，坐在下面的李斯和蒙毅當然沒有制止的餘地。

最後始皇一拍驚堂木，兩個男人才覺悟到自己是跪在皇帝面前，趕快低下頭沉默。孩子給這一拍，嚇得哭著往母親懷裡鑽。

「王氏，」始皇改問女人說：「妳身爲母親，應該知道孩子屬誰！」

「民婦不知道，眞的不知道。」王氏就此始終哭著，翻來覆去就是這句話。

兩個男的又開始吵起來，周圍的民眾忘了是在坑人不眨眼的始皇帝面前，又都竊竊議論起來，人多口雜，雖然每個人都認爲自己很小聲，但音量的總和，就像大群蜜蜂嗡嗡不斷一樣。

始皇再拍驚堂木，眾人才恍然大悟身在何處，全都嚇得不敢再出聲，此時庭內靜得連掉根針在地上，也能聽出聲音來。

始皇沉聲徐徐的說：

「此案纏訟三年，爲此械鬥死傷人員無數，罪魁禍首全在這孩子！」

庭內外觀眾莫不詫異，連李斯和蒙毅也忍不住轉頭看始皇，不明白他的用意。

始皇接著用最緩慢的速度一字一字的吐出：

「朕現判決：爲了根除禍源，將這孩子用白綾絞死！」

兩旁持白綾的刑卒上來抓住孩子。

全庭一片嘩然，但見到虎賁軍及郎中劍出鞘，全付戒備，也不敢公然反抗，人人都在咕噥著咒罵。

始皇用似箭的威嚴目光掃視全場，然後厲聲的說：

「敢喧嘩妄動者死！」

全場又是一片肅靜。

此時母親抱著孩子，伏俯在地上狂喊：

「皇帝！殺了我吧，都是我不好，我眞的已弄不淸誰是孩子的爸爸，因爲在我出租以後，爲了夫妻感情難捨，我還時與本夫偷偷相聚！」

承租別人妻子的男人，這時怒氣沖沖的看著女人，但屈於始皇的君威不敢作聲。

始皇語氣稍微緩和的問兩個男人，對判決有什麼意見。

「小人遵命，沒有意見。」承租女人的男人說。

「皇帝，這樣可愛的孩子你也要殺？上天是有眼睛的，斷給他吧，小人以後不敢再說什麼了！」出租女人的男人斷斷續續的將話說完，伏俯在地，泣不成聲。

始皇驚堂木一拍，撚著五綹短鬚，仰天哈哈大笑。他的笑聲將包括李斯在內所有的人震驚得莫名其妙。

在眾人驚詫的目光中，始皇藹然微笑的說：

「朕費了這大半天的事，終於幫孩子找到了父親！」

他轉向那個正在啜泣的男人說：

「不管你是否是這孩子的生身父親，但你是他眞正的父親，朕相信你也會是個好父親。這孩子朕判給你！」

正哭泣著的夫婦喜極相擁而哭出聲來，孩子坐在地上，莫名其妙的瞪著始皇看。

全庭內外民眾先是一片愕然，會過意來，全都跪下高呼萬歲！有的人甚至感動得流出淚來。

「皇帝英明，萬歲！萬萬歲！」的聲浪，由庭內傳到庭外，再由庭外傳到行宮門外，傳遍了整個錢塘。

9

始皇本想由錢塘渡浙江到會稽，但天氣突然轉壞，海水大潮，江面浪濤洶湧，船根本無法通過。

蒙毅轉告張良的話，向始皇稟奏說：

「陛下，據張繼推算，這是錢塘君有意報復，興風作浪阻礙行程，陛下還是稍避其鋒，等風平浪靜後再說。」

始皇先是笑了笑，接著正色說：

「錢塘君納姬本是巫婆藉機詐財，朕將愚昧鄉民的迷信都改正了過來，朕自己怎麼還能相信這種無稽之談？再說，即使錢塘君要與朕作對，他只是管轄區區浙江的江神，而朕是代天牧民的天子，怎麼能對他畏縮？」

於是始皇一行人不顧江上風浪，改由錢塘西方一百二十里江面最狹窄處渡江。

到達會稽時，南海尉任囂已在會稽等待多日。始皇住進會稽太守事先準備好的行宮，當晚就召見任囂。

任囂首先向始皇稟奏了經略南海地區的大概情形，經過數年的經營，任囂的計劃一一付諸實施，不但原先動亂最多的南荒地區變得安定，而且中原文化也遍及關中、南海、桂林等三郡。

再加上積極推行同化通婚政策，短短幾年間，就已收到很顯著的效果。任囂樂觀的對始皇說：

「只要這種情形繼續下去，若干年後，將沒有什麼中原人和南越、西甌人之分，很快就會產生一個新種類的大秦人。中原人文化水準高，但身體孱弱，不能克苦，缺乏與大自然搏鬥的堅忍；南荒人文明程度低，但體格強壯，天生就有冒險犯難的精神，兩者通婚的下一代，就會兼具兩者之長，更適於在那個地區生存發展。」

「要是生出來的下一代兼具兩者之短呢？」始皇笑著問。

「就跟果樹揷枝接種一樣，大致上會是品種越來越好，兼具兩者之長。臣剛上任時，就積極推動通婚，最早異族通婚所生的下一代現在都好幾歲了，經過臣仔細觀察的結果，兼具兩者之短的不能說沒有，但絕對是極少數的少數。」

「經過仔細觀察？」始皇不解的問：「你如何觀察法？」

「臣在新建城邑都廣設學校，聘請中原去的飽學之士教學。」

其實任囂口中所謂的飽學之士，就是那些因焚書令而被貶到南荒的儒生，只是他不敢明言。

「那教材呢？」始皇有所發覺，直視任囂追問。

「大部份都是與開墾有關的農漁園藝等實學。」任囂有點不自在。

「其餘的小部份呢？」始皇毫不放鬆的逼問：「你沒有嚴格執行朕的焚書令？」

「臣罪該萬死！」任囂避席跪伏在地。

「爲什麼朕這樣信任你，將南海三郡事務全權交託你，准你便宜行事，你卻膽敢違背朕的禁令？」始皇額上青筋激烈跳動。

「陛下可否容臣稟告？」任囂雖然態度恭順，可是語氣並不卑柔。

「你說！」始皇仍充滿怒氣。

「臣認爲過與不及皆非好事，」任囂毫不畏懼的說：「凡事則要因人因時因地而異……」

「你這樣說是什麼意思？」

「以臣之見，詩書禮樂諸經和諸子百家之說，在中原被各家尊奉過度，成爲不可懷疑不可增刪的聖人之學，所以才有諸儒生用來誹謗朝廷新制度措施。但在南荒，中原之學本就缺乏，要是將這點中原文化精髓盡皆除去，臣不知如何同化南越之民，恐怕逐漸來到的中原人，反而會被當地人同化，成爲化外蠻夷！」

始皇聽完他的話，臉色稍微緩和一點，連他自己也不知道該如何處置任囂。他想了很久，總覺得任囂的話不錯，過猶不及，都不是好事，中原儒學太盛，應該加以減殺，而中原人去到南荒，在當地的生存條件絕不如當地人，所憑的就是這點文化上的優勢，所以應該提倡。但無論如何，任囂仍是違背了他的禁令。按律，增刪命令者處死，他能處死任囂這種既忠又能幹的臣子嗎？

想來想去，他都感左右爲難，最後他只有逃避這個問題。他柔聲的對跪伏請罪的任囂說：

「復座吧，現在不討論這個問題，朕希望你能確實推行同化政策，將南荒眞正變成大秦整體的一部份，而不只是塊贅瘤。」

「多謝陛下！」任囂滿心歡喜的回座。

10

過了一會，始皇又問：

「朕以前聽聞東海中有仙島，不知南海中有沒有？」

「南海中不但有島，而且還有大片陸地，這是遇風漁船回來所報告，仙島之說，臣不敢妄加批評。」任囂恭謹的回答：「不過南海和東海中，海盜都猖獗非常，危害商船和漁船，這是個急待解決的問題。」

始皇一時沒有回答任囂的問題，而是撫案大笑，將任囂嚇了一大跳，他小心翼翼的說：

「陛下，臣有失言之處，還請陛下恕罪。」

「任卿所說正是朕心中所想，何罪之有，」始皇說：「只是爲我們君臣想法一致而高興罷了！」

「陛下也想到這個問題？」任囂也高興起來：「臣已擬定了一項建立水師計劃，陛下是否願意過目？」

「當然，當然，」始皇連聲說：「以往大秦侷促於內陸一地，心中根本沒有海洋這樣東西，前齊楚和燕國雖然臨海，但戰爭目標在對秦，所以沒顧到海上武力，才讓海盜千百年來都能在海上橫行。現在天下統一，不管對付海盜保護客商，或是將來向海外發展，都必須建立強大的海上水師，單靠現有的一些樓船已經不夠。負責策劃的人，朕早就挑選了你，而你又一見面就能提出完整計劃，怎能要朕不高興得笑出來！」

任囂從袖中取出一捲羊皮卷要近侍轉呈始皇。

按照任囂的計劃，全國設水師將軍一人，專管海上水師軍務，以和現有專管江河巡弋漕運的樓船將軍職權分開，不得混淆。

水師本部設在會稽，下分設東海和南海兩水師都尉，東海水師母港設在即墨，南海水師母港則設在南海港。

兩水師都尉下再分設若干少尉，下轄若干戰船，分駐於沿海各港口，平時巡弋護航，有事可集合或分遣作戰，乃水師的戰術單位。

始皇大略翻閱了任囂的計劃，覺得他眞是個人才，他忍不住對任囂說：

「任卿建議南、東兩水師都尉由齊楚原兩樓船將軍擔任，那水師將軍呢？卿心中是否有適當建議人選？」

「臣在南海受陛下所託，經過幾年的經營後，大致已具規模，水師計劃既是臣所擬訂，將軍之職當以臣擔任最爲合適。」

始皇驚詫的看著這位頭大眼大，說話聲音也大的南海尉，心中不免想：南海尉管理整個三郡，軍政事務皆可便宜從事，名爲南海尉，實質上可稱得是南海王。如今一切都已具規模，他正是可以開始享受辛勞成果的時候，卻自荐出任船都尙不知在哪裡的水師將軍，眞是個想做事的人！

但他口中卻帶點調侃意味的說：

「古人內舉不避親，任卿卻是更進一步自舉不避身了！」

「毛遂自薦，最後結果圓滿，臣不敢讓古人專美於前。」任囂笑著說。

「南海經營雖大致就緒，但後繼人選也非常重要，任卿心目中可有人選？」始皇又問。

「繼任南海尉最好是由陛下從朝中選派官員擔任。」

「為什麼？就你的副手中挑人繼任不好嗎？」

「邊疆之地黔首，心目中只有南海尉沒有朝廷，這也難怪他們，因為他們離咸陽太遠，民風習性也有所隔閡。所以南海尉一職，不宜專任太久。」

「太久易生叛心？」始皇追問一句。

「臣對轄內官員派遣，也以官不屬地、而吏盡量起用本地人為原則，這樣做是求得有個制衡。」任囂不回答始皇問的敏感問題，只間接的作了答覆。

始皇注視他良久，最後感嘆的說：

「人臣都能像任卿這樣，君王哪會有這麼多猜忌！」

「假若君主都像陛下這樣對臣下推心置腹，也少了不少叛臣！」任囂同樣發出感嘆。

君臣兩人相視微笑。

「就如卿所建議，朕回咸陽後召開朝議，讓他們先了解建立海上水師計劃，決定南海尉人選後，再召任卿回朝。」始皇考慮了一會說。

「這項計劃花費不少，海盜之痛，咸陽又感受不到，以後向海外發展的利益，目前更是看不出來，依臣預料，勢必會遭到不少大臣反對，說是好大喜功，勞民傷財。」任囂擔心的說。

「這不必去管它，大秦一直侷限於關中山區，這些人的胸襟和眼界都嫌狹窄了些，這是朕常要帶他們出來走走的主要原因。放心，朕決定支持你，寧可阿房宮及驪山兩地工程停止！」

「那眞是沿海黔首之福了！」任囂避席頓首。

「不必多禮，」始皇擺手微笑：「請復座，明日陪朕上會稽山祭大禹！」

11

次日，始皇率領群臣登會稽山，在大禹墓穴和廟祭祀完畢，在會稽山頂，立碑頌揚秦德，文與書都是由李斯所撰寫，字大四寸，用小篆體，其文曰——

皇帝休烈，平一宇內，德惠修長。三十有七年，親巡天下，周覽遠方。遂登會稽，宣省習俗，黔首齋莊……皇帝幷宇，兼聽萬事，遠近畢清。運理群物，考驗事實，各載其名。貴賤並通，喜否陳前，靡有隱情。飾省宣義，有子而嫁，倍（背）死不貞。防隔內外，禁止淫泆，男女潔誠。夫爲寄豭（公豬），殺之無罪，男秉義程。妻爲逃嫁，子不得母，咸化廉清。大治濯俗，天下承風，蒙被休經……從臣誦烈，請刻此石，光垂休銘。

當然，始皇沒有下山，駐蹕大禹廟內，其他從臣和虎賁軍則在山頂搭營。雖然已是十一月，但江南氣候溫和，寒流未至，當天並不十分冷，廟內近侍生起火盆，更是室內如春。

廟爲坐北朝南，面臨南海，陣陣海濤聲聲入耳。

始皇端坐在大禹神主牌位前，遠眺月光下的大海和山麓處處營火，不禁陷入沉思。大禹治水，三過家門不入，親自操勞，連小腿上的毛都磨光了，雖說是後人頌德不止，但他的功績又留在哪裡？河水、江水千百年後，又繼續泛濫爲患！他的人又在哪裡？只留下沒有香火的敗杇破廟數間，以及黃土一坏！

他嬴政呢？功過三皇，德超五帝，建立了空前未有的中央集權大帝國，再過幾十年，他又在哪裡呢？

也許他會留下一道雄偉的萬里長城供後人景仰，讓後人認爲他建長城防胡患的功勞，和大禹治水安民居處同樣偉大。但也許後人也會和目前一些短視的臣民一樣，咒罵他好大喜功，勞民傷財，長城是建立在黔首的血汗和枯骨上！

這些批評咒罵他的人都沒到過北邊，千百年來，胡人入侵，製造了多少白骨和血淚，他們又知道嗎？

也許他不該建造的是阿房宮和驪山陵墓。徐市的「青春之泉」虛無飄渺，死後再雄偉的陵墓他也無法感受。

他應該像大禹這樣，只留幾間破廟和一坏黃土供後人憑弔，也就夠了；或者乾脆像中隱老人一樣，死後骨灰灑在德水流入大海！

始皇想到生與死的問題，越想越感到迷惘，終於他發現到自己是屬於劍及履及、起而力行的類型，不適合做這類的空洞冥思。明天他就要啓程前往東海，假若海神眞的要向他挑戰的話，應該遇得上海神。

海神說怕他長生不老以後，總有一天會入侵他的地盤。他到底是神，眞的有先見之明，今天白天他和任嚣所商議的，不正是征服海洋的開始嗎？

一想到征服海洋，剛才思索人生意義和生死問題的迷惘，就像見到陽光的朝霧，沒過一會就完全消失得無影無蹤。

「陛下，夜深了，該安息了！」

耳邊近侍的催睡聲，將他嚇了一跳。

第27章

祖龍之死

1

會稽郡的事情處理完畢後，始皇經吳縣渡江水（現長江）至海，乘樓船北上，目的地是瑯琊，他始終忘不了瑯琊山上的美好風光。

在船上，他時時是由蒙毅和張良作陪，反而將李斯和趙高丟在一旁。

東海上一路風平浪靜，始皇及從臣所乘的那艘樓船，既大又設備舒適，生活在上面，感覺不出和平地有太大的差異。

時值仲冬，海上甚寒，但船艙內生起火盆，焚著玉蘭花香料，溫暖和芳香猶如置身於春天的花叢裡。

始皇喜歡聽張良談東海軼事，華山仙跡。他看出這個俊秀的年輕人，不僅博學多才，而且比常人多了一種不臣君王的飄逸之氣，這種人，君主只能以之爲友爲師，絕無法要他作你的不二忠臣。

始皇在想，中隱老人年輕的時候，大概就是這個模樣吧？他始終以未能見到恩師年輕時的倜儻瀟脫爲憾事。

始皇本身所學也甚博雜，再加上多年的行政經驗，認人識人可說中肯絕頂，不太會看走眼。

開始時，他見到張良這種英才，還想籠絡收爲己用。他認爲只要稍假時日，讓他多點實務上的經驗，將來會是他留給子孫的宰相人材。

但看到張良這股「仙氣」，他打消了這個主意。

可是他絕未想到張良會是在博浪沙投擲大鐵錐，差點要了他老命的那個「盜匪」。

在張良這方面，他先前還單純認爲始皇只是個專制、富於謀略的獨裁者，但經過多日的深談以後，他發現始皇不僅雄才大略，處事明快，有他獨到的見解，而且他最大的長處是知人善用，將合適的人放在合適的位置上，而且是什麼樣的人他都敢用，也用得很好。

也許，他唯一的缺點是他太過於自信，像李斯、趙高這種毒蛇似的小人，他也敢養在身邊。

張良知道，只要始皇在一天，天下想亂都亂不起來；但他一死，天下想不亂都不行，扶蘇仁慈，能得民心，立扶蘇也許可使天下生民逃過又亂一次的浩劫。

張良有時對自己也感到奇怪，自遇黃石公後，思想竟會有如此大的轉變，以前他時時志在復國，自認爲和強秦——尤其是嬴政——有著不共戴天之仇。但自受到黃石公的教導以後，他的眼光和胸襟都放大了。

韓王算什麼？嬴政又算什麼？他們誰能爲天下人謀福，就應該受到愛戴。嬴政做事也許過於性急一點，但除了建阿房宮和驪山陵墓外，其餘的工程都有它們的必要。

也許嬴政在這點上做得太傻，他想將數千年來君主及諸侯荒淫懶散所留下的擔子，一個人一下就整個挑起來，他做得眞是吃力不討好！

他同時也看得出，始皇這次海上之行，名義上是要找海神決戰，除掉海神阻礙他求取長生不老仙藥，實際上他是想發展海上武力，消滅海盜，向海外作進一步的擴張。因爲每到一處港口，他都會要從臣找當地父老紀錄港口潮汐、氣象、水文、呑吐量和其他各有關資料。

只是，始皇有這個習慣，在事情未成熟前他絕不聲張，這是獨裁者處事明快的秘訣，但也是獨裁者的悲哀，因爲他們不知道先發動民意和製造民意。

張良只將發現到的這些事放在心裡，連蒙毅他都不提起。他和始皇經常談到的，只是如何與海神決戰的神（鬼）話！

那天海上無風，陽光也特別好，始皇半躺在錦墊上，蒙毅和張良陪侍談話。始皇一時興起，笑著對張良說：

「張生對東海神仙之事甚熟，朕這次到海上，是爲了向海神進行決戰，張生對海神的由來是否清楚？」

「臣略知一二。」張良恭敬的回答。

「說來聽聽，蒙卿也注意聽，這就是所謂知己知彼，百戰不殆，知天知地，勝乃可全！」

始皇閉目養神而聽。

「海神相傳姓敖名廣，身兼東海龍王，另有三個兄弟分別爲南、西及北海龍王，都爲神龍所修煉而成，經過上帝封命，敖廣爲金龍所變，神通及地位都非兄弟所及，因此封爲海神，掌管四海，而所有通海的江神、河神全都是敖廣的兒子。」張良津津有味的說。

「這樣說來，上次附體在你身上的就是敖廣了？」始皇問。

「正是。」張良回答。

「他說朕是天上掌管天池的烏龍，這是爲何？」

「舉凡人間帝王將相都是天上星宿下凡，敖廣的話大概不會假。」張良說過一次鬼話，就只好逼得再說一次。

「敖廣既然爲神，朕目前爲凡人，是否能鬥得過他呢？」始皇口中如此問，心裡想的卻是能否征服海洋，找出海中或海外土地。

「人定勝天，以陛下的智慧和毅力必能征服四海，何況只是一個敖廣！」張良看出始皇問的話中有話，也就用絃外有音的話回答他。

「不錯！」始皇似乎也懂了張良的絃外之音，仰天哈哈大笑：「張生眞是善解人意，朕正是要連敗他們兄弟——東南西北四龍王，連他的兒子江神、河神也要納入朕的掌握，只准他們造福黔首，而不准爲害朕的子民！」

「陛下的心願必能達成！」張良語帶鼓勵的說：「只是事緩則圓，凡事不能操之過急，需要一步步的來。」

「當然，當然，」始皇仍然帶笑的說：「朕會逐個逐個的擊敗和征服。」

海風轉大，近侍催始皇下艙休息。

「你們在打些什麼啞謎？」蒙毅私下問張良。

張良微笑不語。

2

當晚，始皇心情特別好，也許是和張良的一席談話，又引發了他的雄心壯志。

近來他老是失眠，常覺渾身倦怠，小腹上方肝的位置，常常隱隱作痛，細摩之下，會發現有硬塊。

據御醫診斷爲操勞過度，肝火太旺，除了應多休息外，應服藥清消肝火。始皇聽到御醫的話還是那老一套，忍不住笑言諷刺：

「朕現在從早到晚躺在軟榻上和人談山海經，算不算是休息？」

「談話也得用精力，也應在愼戒之內，」御醫老實的回答：「尤其嚴戒女色。」

隨行的也有幾名妃嬪，以往始皇治失眠的良藥就是行房，一陣激情過後，要近侍將女人帶走，他很快就能入睡。近來醫囑不准他近女色，他只有靠飲點御醫所配的藥酒，微醺而後睡著，但飲量越來越多，又遭到醫御的反對，他們的立論是酒傷肝，不能多飲，戒除爲妙。

今天他照著御醫限制份量喝了幾杯藥酒，卻不像往日那樣昏昏欲睡，而是越想越興奮。他在想他的偉大海上水師；他在計算新造一千艘海上戰船要費多少時間、多少錢，工匠要從哪裡找。

的確，阿房宮可以停建，工匠木料用來造戰船綽綽有餘，還有驪山陵墓，他不急著死，現在建不建都沒有關係，這些哪比得上擁有一支強大的海上水師！

嗯！一千艘戰艦，每條船上除開舵工及其他工作人員外，應該能載全付甲胄騎卒一百人，千艘的總容量就是十萬騎兵，當然，要是載的是步卒，那數量還可加兩倍。

一支十萬騎兵的部隊，就足夠馳騁任何地方了。

當然，船上除了用帆作動力以外，船兩側都要設槳，不要像他現在所乘的船這樣，海上無風，就全靠船後的兩支櫓在搖。另外，船上要裝置特大的勁弩和投石機，可以發射利箭巨石，也可以發射火箭和油彈攻擊對方船隻。

戰船本身不只是作運兵之用，本身就應該是一個戰鬥利器。

還有，每艘母船至少要附十艘子船，以便沒有碼頭的淺水沙灘，所運的部隊也可以登岸。

還有……還有……

一樣接一樣的構想和計劃，像海中波浪似的，一波接一波湧入他的腦海。

他彷彿看到自己率領著這支海上雄師，接連征服海外一處又一處的地方。每到一處，那裡的人民穿著中原所見不到的奇裝異服，用他聽不懂的語言，跪伏在地上喊「萬歲！」他要派人教他們用秦語喊「萬歲！」這應該是最容易不過的。

距離近的，可以納為大秦版圖建郡，一切照新收地處理，設官分職一如內地。路途太遙遠的，就派遣教化人員在該處宣揚中原文化，一如現在的藩屬。

這時候典客的編制太小，已經不夠用，應該擴大，也許另成立一個專營海外領地的機構會更方便。

他要多找一些像任囂這類的人才，分別鎮撫各領地，用他的治番八字訣：「懷柔，優遇，教養，同化。」來將這些地方一一轉變成大秦的版圖。

到時候，他的出巡不再像如今這樣只限陸地和沿海，而是要乘風破萬里浪，巡視一次海外領地，恐怕就得費時一年，那朝中要何人留守呢？

的確，應該是立太子的時候了！但要立誰？胡亥？他太愚蠢，無法獨當一面。再說要是建立了橫跨海內外的偌大帝國，他繼位後會無法控制！

立扶蘇，也許太過仁慈寬厚，恐怕鬥不過李斯和趙高這班小人，不過沒關係，他會像現在這樣，走到哪裡就將他們帶到哪裡，在他的眼皮下面，他們不敢輕舉妄動，只有他才能要他們盡心力，而這兩個人都是極有才幹的，值得利用。

等到扶蘇立位，當然可以讓他們退休，甚至是殺了他們！

也許，太子只是留守，永遠也不會繼位……因爲……因爲……他這次戰勝了海神……海神叫什麼名字來著？……哦，他叫敖廣……他只要戰勝敖廣……去除了去仙島的障礙……他取服了「青春之泉」，就會長生不老！

哈，太子不再是繼位者的專屬稱號……而是……而是留守者的尊稱……太子……留守……

始皇朦朧入夢。

3

始皇夢到自己徒步行走在茫茫大海上，沒有船隻也沒有從人。他習慣了在眾人擁戴下出行，環顧左右寂無一人，心上有股難以形容的孤獨和寂寞。

還好，他的龍泉寶劍在腰，給了他不少的撫慰。

迎面打來的浪濤像小山，奇怪的是都沒有撞擊到他臉上，而是從他的腳底平滑過去。

他始終是走在怒濤奔騰的波浪間，但也一直是如履平地的向前行。

他遠遠看到一處海島，很像徐市口中形容的蓬萊仙島，在夢中他仍記得現在時值仲冬，那島遠望去卻是一片碧綠，青翠欲滴，島中央最高的山峰沒有冒煙，也是綠油油的長滿叢林。

他繼續往前行，仙島越來越近，他彷彿看清了島上的城市街道和港口，還有在上面走動的行人。

啊，一切正如徐市所形容的，黃金、白銀為宮闕，奇石鋪路，珠玉嵌牆，只是周圍海中看不見徐市所說的火輪船。

大理石建築的碼頭上，逐漸聚滿人群，他越行越近，似乎能看清碼頭群眾的人頭。忽然他看到碼頭上的人都紛紛下跪。

「萬歲！萬歲！」

始皇大感詫異，島上今天有貴賓來？但他環視四周，浪濤洶湧的海面上，仍然只他孤寂一人，難道說他們是在歡迎他？正在他狐疑之間，這次他清晰的聽到他們在高呼：

「始皇帝萬歲，功過三皇，德超五帝的秦始皇帝萬歲！萬萬歲！」

群眾的「萬歲」聲，蓋過了海浪的聲音，就像暴風雨中的雷聲蓋過風雨聲一樣。

不錯，他們是在歡迎他的！

始皇高興得難以形容，想不到不用戰船，他的聲威已傳到了仙島，難道說徐市已比他先到一步？

他興奮感動，眞想不到仙島上的人這樣愛戴他，看樣子，他要求點「青春之泉」應該沒有問題！

他踏著波浪而行，越過層層波浪，有如平地。

突然，天空烏雲密佈，亮起火蛇似的閃電，雷聲此時又蓋過了群眾的「萬歲」聲和海浪聲，等到雷聲過去，仙島不見了，在他前面海中不遠處，一字排開大約十幾個龍頭人身的怪人，全都寶劍在手。

當中一個金龍頭的怪人，未說話先仰天哈哈大笑，笑了很久才止笑說道：

「嬴政，你果眞來了！」

始皇想起金龍應該是海神兼東海龍王敖廣，他禮數周到，拱手施禮說：

「嬴政並沒有入侵你領土的野心，只是想到仙島求取一點『青春之泉』而已，爲何要阻擋於我？」

「你這幾天心中想的是什麼，不講出來，凡人不會知道，難道孤家這個神也會不知道嗎？嬴政，你太小看了神的神通了！」

始皇聽他這樣，明白今天不能善了，也就緩緩拔劍出鞘，只見龍泉寶劍恰似一泓秋水，在閃電中熠熠發光。始皇大聲喝道：

「敖廣，可認得此劍？」

敖廣及從人一見龍泉劍，驚嚇得都不由自主的退後半步。敖廣更是驚呼出聲：

「龍泉劍！」

「不錯，」始皇傲然的說：「天下第一名劍，專斬孽龍的龍泉寶劍！」

相傳龍泉劍爲黃帝所遺留，他曾用這把劍砍下蚩尤的頭，而蚩尤化作一條無頭赤龍飛去。

「說到孽龍，你才是將天下弄得大亂的大烏龍！」敖廣狠狠的罵道：「你不但弄亂了陸地，還想翻江倒海搞渾海洋！」

「龍泉劍下歷來不斬無名之人，你我都是帝王身份，在你身邊的這些孽龍又是些什麼？」始皇執劍喝問。

「嬴政，你眞是孤陋寡聞！」敖廣說：「讓孤家爲你一一介紹。」

說罷敖廣又是仰天一陣狂笑，笑聲使得天地風雲爲之失色。

4

敖廣指著左邊一個白色龍頭、身穿白色錦繡龍袍的人說：

「這是孤的二弟西海龍王敖智！」

始皇點頭爲禮，因爲他記得中隱老人的話，越是會咬人的狗越不會叫，鬥劍時拚命大喊大叫的人，全是膽怯心虛，藉著罵人來壯膽，本身早就失去冷靜，未出劍就輸了一半。

敖廣又指著右邊的一個紅色龍頭，身穿紅色龍袍的人和黃龍頭黃龍袍的人說：

「這是孤的三弟南海龍王敖仁，四弟北海龍王敖信，其餘全是我們的太子，擔任各江河之神，用不著再介紹了。」

「父王請慢，還有孩兒要自我介紹一下。」隨著說話聲從列隊中走出一人。

始皇定睛一看，原來是一條小金龍，憑直覺他要比其它的龍年輕得多。

「嬴政，你還認識我嗎？」他一出來就出聲怒吼。

始皇輕蔑的搖搖頭：

「從來沒見過。」

「我乃錢塘君是也，」這個金色小龍說：「還說沒見過，你破壞我的好事，打破數千年來的成規。」

「原來是你這條淫龍，朕正要斬你為你所害的數千女子償命，祭禱那天你為何不敢出面，現在才仗人多勢眾？」

錢塘君氣得滿臉通紅，也不請示父王，舉劍就刺。

「孩兒小心，你一個人不是隱者之劍的對手！」

但他的喊叫還是慢了一步，只見始皇用了一招「指地問天」起手勢，輕巧的撥開錢塘君的劍，順勢來一招「橫掃千軍」，以劍作刀橫削，一顆龍頭就飛上了天，無頭人身一蓬血箭噴了出來。

「我兒！」東海龍王敖廣出聲痛哭。

其餘龍王及龍子龍孫全皆驚呼失色。

「嬴政，你心狠手辣，不顧都是龍族的道義，今天非要你碎屍萬段不可！兄弟孩兒們，不要管什麼單打獨鬥規則，大家一起上！」

十幾個龍頭人身的龍王及龍子龍孫一擁而上，將始皇圍在中央，紛紛從各方面圍攻，始皇使出隱者之劍中屠狗者所用的那招，群龍兵器一一被他擊落丟手，最後只剩下敖廣一個人劍尚在手。

群龍跳出戰鬥圈外，面面相覷，不知該怎麼辦，大家全知道龍泉劍專斬孽龍的厲害。

敖廣帶著哭聲嘶吼：

「嬴政，你殺我子，孤家不會與你善罷甘休！」

始皇橫劍在胸，心定氣閑的笑著說：

「敖廣，還有什麼絕招，全都使出來好了！」

只聽敖廣突然一聲龍嘯，大海跟著翻騰起來，無數魚、蝦、蟹、龜等水族，紛紛露出水面，各拿奇形怪狀的兵器，向始皇圍攻上來，一時間攻得始皇手忙腳亂，顧到左方就顧不到右邊。

這時候，只見東海龍王敖廣一聲石破天驚的長嘯，像條金色長虹似的躍起，一劍直刺始皇胸前。

始皇感到一陣疼痛，胸前傷口鮮血汩汩流出，他一心慌，腳下踩空，他不再是踏凌波浪如履平地，而像是掉入懸岩，一直在往下墜落。

他耳邊還聽到敖廣得意的大笑，說話的聲音像發自空谷，滿耳周圍都是迴音：

「嬴政！你胸部中我一劍，用不了多久你就會死……你就會死……哈哈……哈哈……我會隨時跟著你，看你死時痛苦的樣子！哈哈……哈哈……」

始皇從夢中驚醒，全身都流著冷汗，摸摸胸口，眞的在隱隱作痛。

值夜近侍聽到他在夢中的叫聲，也連忙趕進艙來。

「陛下又做惡夢了？」近侍關懷的問。

「嗯，沒事了，你出去吧！」始皇有點靦覥而不耐煩，就像慣於說謊的孩子又被別人視破一樣。

惡夢！惡夢！他這一輩子都爲惡夢所困擾！

5

始皇的船隊繼續在海上航行，到達離瑯琊不遠的地方，風浪突然轉大。

始皇想起夢中敖廣所說的，他要隨時跟著他，看著他痛苦的死，因此，他絕不能示弱。

雖然幾天來他都感到胸部隱隱作痛，有時還會輕微發燒，他仍裝得若無其事，照舊在甲板上曬太陽，和蒙毅、張良聊天。

有天他實在忍不住，將那晚的惡夢告訴張良，要他爲他解夢。

張良恭敬的回答說：

「夢其實有很多種，有能解釋的，也有不能解釋的。有的夢是日有所思，夜有所夢，白天對某個人或某件事想得太多，這個人或這件事，就會出現在夢中。」

「照你這樣說，朕是白天想這件事想得太多，所以才會有此惡夢，」始皇雙手放在胸前，卻不願說出胸口疼痛的事：「還有哪些夢是無法解釋的呢？」

「大部份的夢都不需解釋，很多人在睡覺時，受到外界的刺激，也會以夢的方式表達出你的反應。譬如說，有水偶爾滴在臉上，人就會夢到下大雨；蚊蟲在耳邊叫，有時會反應在夢中出現打雷的現象等等。」

「前幾天晚上可沒有蚊子在耳旁，可是朕卻夢到閃電打雷的聲音。」始皇不服的說。

「臣只是舉例而言，不一定某種刺激就會產生某種固定反應，夢中的反應乃是千變萬化的。」

「這樣說來，圓夢者所說的夢能預兆，乃是無稽之談了？」始皇懷疑的問。

「不然，」張良搖頭說：「夢有時是某種事情要發生的先兆，這種夢是可以作解釋的，不過這種夢要具備三個條件。」

「哦？要具備哪三個條件？」始皇的興趣被提起來了。

「第一，夢必須完整，第二，夢必須清晰，第三，醒來時必須是在半夜。」

「朕這個夢都合乎這三個條件，應該屬於可解釋類了！」始皇半信半疑的說。

「正是。」張良說。

「那敖廣說是要隨時找朕報仇，我們應該預作防備。」始皇有點擔憂的說。

他沒告訴張良敖廣說要等著看他死的話，他諱言死，根本不願提到「死」這個字。

「陛下放心，這可由臣來安排。」張良安慰他說。

「你要如何安排，可否先告訴朕得知？」

「海神只有在夢中才能以人形出現，他要是隨時都窺視在陛下左右，那一定是化作海龜或大魚，所以陛下可以在船上安排強弩和巨網，發現有巨大海族，就加以捕捉或射殺。」

「這個安排甚好，只要敖廣敢糾纏不清，出現在朕眼前，朕要親手加以捕捉或射殺！」始皇開心的笑了。

海上風浪加大，近侍又來催始皇下艙休息，始皇也感到身體倦怠，想小睡一下，於是交代了蒙毅準備捕殺海神事宜，他就下到臥艙去了。

在恭送始皇下去船艙以後，蒙毅半埋怨半開玩笑的對張良說：

「你對主上所說的話，到底是眞是假？」

張良長長嘆口氣說：

「說一次謊話，爲了要圓謊就得繼續說無數謊話，說到後來，連自己也弄不清到底是說眞話還是說假話了，可見裝神弄鬼的事是做不得的，哪怕目的是完全正確的。」

蒙毅面有愧色的沉默，避開張良的目光，看到海上遠方去。

張良接著正色的說：

「我剛才對主上所說有關解夢的事，的確是眞話，有的夢確實可以預兆未來的事！」

「那你對主上的夢，要如何解釋呢？」蒙毅轉過臉來，急切的注視著張良問。

「主上的夢，可說是眞假參半，部份是預兆的，部份是日有所思，夜有所夢的。」

「你解釋來聽聽。」

「大戰敖廣，斬殺錢塘君，這些夢境的出現，乃是聽我談『山海經』聽多了，而且他早存有殺錢塘君爲民除害，以及擊敗海神，求取仙藥之心，所以湊合起來在夢中出現！」張良笑著說。

「那敖廣刺他的那一劍呢？」蒙毅追問。

「這是某種不良預兆！」張良憂形於色的說。

「不良預兆？我聽某個博士說過，根據《周公解夢》此書，被人刺，見鮮血，乃是上上大吉！」蒙毅立即反駁。

「《周公解夢》乃是後世陰陽家，假借周公名義所杜撰，根本是些信口雌黃之談！」張良輕蔑的說。

「那依你要作何解釋呢？」蒙毅反問。

「廷尉要聽眞話，還是要聽敷衍討好之言？」張良認眞的問。

「那還用得著說，當然要聽眞話！」蒙毅也嚴肅的回答。

「主上被敖廣刺那一劍，表示主上原先的肝疾，鮮血直流，預兆病情會突然變得嚴重。」張良沉吟的說。

「眞的？」蒙毅驚問。

「廷尉，你應該看得出近日主上臉色焦黃，精神不振，和我們言笑都是勉強裝出來的，這都是肝疾惡化的象徵！」

「那該如何是好？」蒙毅急得沒有了主意：「在這路途當中！」

「李斯和趙高都是小人，主上病情有變，廷尉就隨時不可離開主上身邊，提防他們動手腳。」張良張望四周無人，壓低了聲音說。

「他們敢加害主上？」蒙毅也壓低了聲音，但語氣充滿憤怒和懷疑。

「這他們絕對不敢，」張良撫慰他說：「張繼是指立太子之事。」

「張先生的意思是……」

「始皇此刻假若有事，必然會立扶蘇……」

「我明白了。」蒙毅點頭說。

兩人會意，但都陷入沉思。

6

為了討始皇歡喜，張良建議在樓船船頭、船尾及兩舷，派人準備連發勁弩和巨網，凡發現有水物即予射殺或捕捉。但至瑯琊的一路上，並沒有什麼重大發現，射殺的只是一些小魚小龜，網到的也是一些小蟹小蝦，沒有疑似敖廣的大東西。

更可證明沒抓到敖廣的是，始皇幾乎夜夜都做惡夢，敖廣不是和他惡鬥，就是哭喊著要他償還兒子的命。

到達瑯琊港口，始皇上岸休息，船隊也借這段時間補充糧食，加添淡水。

果然瑯琊太守向始皇稟奏了一件怪事，就在始皇夢斬錢塘君那一夜，浙江水突然低落減退，大潮時也到達不了平時的水線。會稽太守乘此大好機會發動黔首修堤，預計堤防修好後，水患從此根絕，而同時進行的渠道和水庫建築好以後，沿江荒地都將變成肥沃良田。

始皇當然高興聽到這項好消息，因此更確信那天晚上的夢是眞實的。

連帶更增強了他求取長生不老藥的信心。

在瑯琊台上住了幾天，眺望秀麗的山景和壯闊浩瀚的大海，始皇覺得精神好了不少，雖然御醫和幾位近臣都已知道他的肝病越來越嚴重。

蒙毅好幾次想提立太子的事，全都爲始皇興高采烈的態度所打消，他不忍心破壞他的好興致。

李斯和趙高同樣想進言，可是他們不敢。

始皇親眼看到他自己的成果，二十八年初登瑯琊，這裡只是一處荒涼沒有人煙的偏僻海岸，自他下令遷移三萬戶來此，如今已蔚成大邑，不但漁耕發達，也建立了良好港口，商貿四通八達，幾乎可直追即墨。

在留連不捨的情況下，始皇又登船北行，這次主要目的是北部海域，他要探勘北方港口，也希望在海上找出敖廣刺殺或捕捉。

不過，他對瑯琊的依戀不捨，自己有了不祥的警覺，他自知有病，但並不認爲有多嚴重，但對瑯琊那種依依不捨之情，卻表示他的意志力已逐漸衰退，是因爲他老了？他才五十歲，祖父秦昭襄王在他這個年齡，正是積極向外發展，意氣風發，不可一世的時候。

還是他眞病得嚴重，以致意志消沉，壓制不住對舊昔事物的依戀？

他這輩子都緊記恩師中隱老人在教他帝王學時，所告誡的那番話。老人說——一個稱得上好的君主，必須意志力堅強，而要做到意志堅強又必須緊守「不依、不戀、不怨、不悔」四項原則。

「不依」，帝王的生涯本來就是孤獨寂寞的，他站在所有人之上，只有別人依靠他，他絕無法依賴別人，否則就會造成大權旁落。

「不戀」，在事物方面，留戀舊的，就不能開創新的；在人的方面，惜戀舊人就不能大刀闊斧的提用新人，會造成腐化老化。而在個人感情方面留戀往日事物，就沒有精力和勇氣向未來挑戰。

「不怨」，君主要有「有功分眾人，過由一身當」的擔待和寬大胸襟，這樣才能受到底下群臣的敬重和心服。有功歸己，有過怨人，一定會造成眾叛親離的結局。

「不悔」，再大的失敗，只要保持君主的權力，就有重新來過的本錢，時間和精力用在追悔過去，不如用在開創將來。

始皇自信平生都能做到這四項原則，所以能統一天下，威懾群臣，沒有任何臣子敢自誇他是朝中不可或缺的人，但現在，他凡事都想找蒙毅和趙高商量，對瑯琊台竟懷著「美好時光不再」的緬懷心情。

他是老了？

還是眞的病得很重？

7

一百餘艘大樓船，以戰鬥隊形分成數列、數行在大海上航行，乘風波浪頗爲壯觀。每艘船上都準備好了連發勁弩和巨網，發現水物就予以射殺捕捉。

始皇全身朝服端坐頭排中間的樓船船頭，李斯、蒙毅和張良侍坐，趙高和座船船長兩旁侍立。

他手執連發勁弩，箭已上絃，一面注意水面上動靜，隨時準備「敖廣」的出現，一面還在看船隊的操演。

座船船長也就是整個船隊的都尉，他以鼓聲和旗號指揮整個船隊變換各種攻擊隊形。

始皇精神奕奕，似乎忘了身體的疼痛，他不時轉過頭去誇獎和勉勵都尉幾句。

這只是七拼八湊由江上水師樓船組合而成，就有如此相當不錯的場面，要是將來一千艘海上水師建立起來，那會是多偉大、多壯觀！

那天，船隊通過之罘山海域進入渤海。

忽然，左側最邊上的樓船發出了短促緊急鼓聲，由遠至近，一艘一艘的船接連相傳過來。

船隊都尉命旗語手打旗問訊，接著向始皇跪稟：

「啓奏陛下，左首第三號船發現敵蹤！」

「敵蹤？是海盜船？」始皇笑著說：「好大膽的海盜，連朕一百多艘大船隊也敢打劫起來？」

樓船都尉跪在甲板上不敢插嘴，等到始皇把話說完，他才又稟奏說：

「不是海盜，乃是發現了一條小船般的大魚。」

「眞的？」始皇高興得站了起來：「何不早說！你下令將魚趕到中央，由朕親自射殺！」

都尉命人打出旗號，傳出鼓聲，隨著頭排十多艘船，迅速改變了包圍隊形，最左側的兩艘船超前攔在前面。

包圍圈逐漸縮小，每艘船的勁弩手和投石機紛紛發箭投石，卻不敢直接射投在大魚身上，而是逐漸將魚逼向中央始皇的座船前面。

侍立在始皇背後的張良，不禁暗暗搖頭，皇帝眞是不好伺候，發現大魚射殺也就罷了，還要趕來讓他親自射殺，要是跑了，又不知有多少人獲罪。他因此下定決心，爲某個有作爲的人打天下創事業可以，絕不淪落爲專伺侯帝王好惡的弄臣！

大魚漸漸被趕到中央，果然體積不小，大約有一般江船大，頭上還在噴水。張良在倉海君處見過這種巨魚，大的比這隻魚還大，當地人稱之爲京魚，京者大也。

跟他到中原的倉海力士本是以捕此種魚爲生，所以練得好手勁，能投一百二十斤鐵錐。原來當地捕京魚，是以帶長索的倒鉤鐵矛射魚，魚一被射中，負痛而逃，鐵矛倒鉤陷於肉內，血流不止，魚就拖著漁船上下翻騰，因爲這種京魚和人一樣，必須在水面上呼吸，所以時而水下，時而水面，拖得漁船滿海跑，最後流血過多死亡，才用船將魚拖回。

始皇全神貫注於京魚，手執連發勁弩瞄準，只見大魚到處，波濤像小山頭一樣擁起落下，座船也隨之搖擺不定，根本就無法瞄準，他轉臉問張良說：

「這是什麼魚，體積如此龐大？」

「如此大魚，臣雖住過滄海，也是首次見到。」張良不說眞話，但他也未說謊。

「想必是敖廣所變，待朕賞他幾箭。」始皇得意的哈哈大笑。

隨著說話，始皇的勁弩發出，六支連環箭，支支射插在京魚背上，但京魚似乎沒有一點感覺。

這時隨行的漁家能手大概已認出此魚，知道該怎麼捕捉法，紛紛下了小艇，解纜向大魚划去，就像群蟻奔向活潑鮮跳的大蚱蜢，他們手上都拿著帶有長索的長矛。

這邊始皇接過內侍遞來的強弩，又接連發了六支箭，這次是兩支箭射中大魚的眼睛。

那邊十多艘小艇也已接近大魚，帶倒鈎的長矛不斷射中魚身魚背，大魚負痛發狂，大尾巴一掃，一道大浪迎著始皇撲來，始皇被驚得倒退了好幾步，全身濺得透濕。

大魚拖著十多艘小艇往遠處逃逸，船上眾士卒吆喝聲如雷，戰鼓敲得更爲激烈。

眼看著大魚時而水下，時而水面，翻騰疾馳，血染紅了大片海水，始皇似乎又回到八歲在邯鄲看人家鬥狗時的興奮。

他喜歡見到血，不管是什麼血，只要是血就會使他有股莫名的興奮。

「陛下，到艙內更衣吧！陛下的衣袍全濕了。」近侍上前稟奏，這是他對始皇的關懷，也是他的職責。

始皇粗魯的推開他，不耐煩的說：

「等等，朕要看個結果！」

他不再是五十歲的皇帝，而是八歲在街頭看熱鬧的任性孩子。

爲了讓始皇看到結果，整個船隊張滿了帆，緊跟著大魚逃逸的方向追，但船的速度到底比不上臨死掙扎的大魚，漸漸魚和小艇只剩下一些小黑點，最後終於消失在海平線下。

「敖廣，朕這次會抓到你！你想不到吧，實際的情況正和夢中相反！」始皇喃喃自語：「你應該知道，現實宇內是由朕在掌管！」

他又轉臉問張良：

「大魚到底會掙扎到什麼時候？」

「也許半天，也許兩三天，要看牠受傷的程度。」張良這回說的是老實話。

「那朕恐怕等不及了！」始皇依然自說自話：「朕要下艙更衣。」

眾人中只有張良懂得始皇話中的意思，他意不在大魚，而是指求取仙藥和征服海洋。

張良在想，始皇也許已知道自己病況嚴重。

8

始皇眞的沒等得及看捕捉大魚的結果，因爲一天以後，那些捕京魚小艇拖著小山似的屍體回來時，他正發著高燒。

御醫們會診的結論：受到風寒，引起舊疾復發。

始皇躺在病榻上，時而清醒，時而昏迷。當他清醒的時候，近侍向他稟奏大魚已捕獲的消息，但他似乎失去當天看捕魚時所有的狂熱，他只淡淡的說：

「朕知道了。」

但過了一天，當他高燒剛退，人稍微清醒點的時候，他主動召見蒙毅和張良到病榻前，問起捕大魚的情形。

「陛下龍體欠安，還會想到這些瑣碎小事，請多休養安神。」蒙毅不太贊同的說。

但他還是稟奏了大魚的追捕驚險過程，傷魚拖著十多艘小艇掙扎了一天一夜才算死亡，現正拖在座船的後面，等候處理。

「張生明白朕爲什麼這樣關心大魚嗎？」始皇笑著問張良。

張良考慮了一會，沒有答話。

「張生不必爲難，有話直說，說錯了，朕也不會見怪。」始皇注視著他鼓勵。

張良會意，知道該說眞話的時候到了，他態度誠懇的說：

「捕捉大魚對陛下來說，象徵意義大過實質意義。」

「是爲了朕眞將大魚看成是敖廣？」始皇露出狡黠的笑容。

「中隱老人的傳人應該沒有這樣迷信。」張良說話的口氣，沒有將始皇看成是擁有無上權威的皇帝，而當成是平輩好友似的。

蒙毅深怕始皇會生氣，暗暗扯了張良的衣服一下，張良依然不動聲色，裝作不懂。

「不然，」始皇搖搖頭說：「雖然老爹灌輸朕的思想，說鬼神都是聰明人用來騙無知的愚夫愚婦的，但朕總覺得冥冥之中一定有個主宰，正如同人間有帝王一樣。人間有帝王，就有分擔職守的將相百官；有上帝，當然也就有代上帝牧民的各種鬼神。」

始皇的這番話大出張良的意料，現在他才完全明瞭始皇具有一個矛盾的性格，一會信，一會不信，全看他的高興，或者說是全看對他是否方便或有利與否而定。

「那陛下是將大魚當作敖廣的化身了。」張良也露出狡黠的笑容。

「不然，」始皇還是搖頭：「敖廣沒有這樣愚蠢，朕也沒有這樣笨！」

「那張生知道大魚的象徵意義是什麼嗎？」

張良無話可答，只有保持沉默。

張良看出始皇的剛愎性格，他絕不願承認別人猜透他的心意，還是讓他自己說出來比較好。

果然，始皇並沒有等張良答話，而是自言自語的說：

「大魚象徵敖廣，敖廣象徵海洋，朕想親眼看到——甚至是親手捕捉到——這條大魚，那就象徵朕將親自征服海洋或親眼看到海洋被征服。但當天突來的巨浪打濕朕的衣服，使得朕病了幾天，無法親眼看到捕魚船隊凱歌而歸，朕不喜歡這個象徵意義。」始皇若有所思的說。

「陛下眞是想得太多了！」蒙毅感嘆。

「不然，」始皇憔悴的臉上勉強擠出笑容：「朕這幾天發燒，昏昏迷迷，做了許多怪夢，稍微清醒時也想了很多事情，總算想通了一件事。」

「陛下，什麼事？」蒙毅恭敬的問。

「那就是天下之至大，非一人能治，時間之無窮，應世代相遞！」

「陛下聖明！」張良用道賀的口氣大聲說。

「張生是否要恭賀朕的大澈大悟？」始皇笑著說。

張良被他道破心事，不禁滿臉通紅，不像鬚眉男子，反而似姣好少女。

始皇忍不住在心裡想，眞是個奇特的人。

「另外，朕想到立太子的事……」始皇沒將話說完，卻以目示意侍立榻前的近侍。

近侍會意走了出去，將臥艙外面的所有人都趕出船艙，自己就守在船艙口。

「朕想立太子，蒙毅看該立誰比較好？」始皇乏力的問。

蒙毅聽到他虛弱的聲音，看不到他臉上原有的剛戾之氣，眼前叱咤風雲的始皇帝，一病之下，竟變成一個平凡孤獨的老人！

「這是陛下的家事，不容臣等插嘴。」蒙毅在席前俯身回奏。

「蒙卿這句話就說錯了，立太子怎麼會是朕一家的事？」始皇面露不悅：「張生，你的看法呢？」

「臣就更無置喙的餘地了！」

這是張良和蒙毅商量好的對策，因爲他們清楚始皇多疑的性格，急欲幫扶蘇說話，反而會使得始皇反感，因爲胡亥這次隨時隨侍在側，而且無論怎麼說，胡亥是皇后嫡出的獨生子。

張良大膽判斷，以目前天下尙未大定，建設工程千頭萬緒，民心不服，始皇自知來日無多的情況，他要立太子一定會立扶蘇，用不著他們多言。

這叫做欲擒故縱策略！

果然始皇嘆了口氣說：

「爹娘疼幼兒，胡亥是朕最小的兒子，也是皇后留下的獨嫡子，本應立他，但他生性愚頑，當一個太平天子尙可。現天下雖定，但民心未全附，各種建設方興未艾，政事千頭萬緒，不是胡亥所能應付得了的。」說到這裡，始皇彷彿很累，停下來喘了口氣。

喝了一口茶，休息一會，始皇又緩緩說道：

「前些日子我也曾問過李斯丞相，他建議立扶蘇，你們認爲怎樣？」

「陛下聖明。」蒙毅和張良幾乎是異口同聲的說。

「你們也贊成立扶蘇？」始皇懷疑的問。

「臣保持初衷，不敢斷言！」蒙張兩人又是異口同聲。

這時近侍來報，眾御醫等在艙外，該會診的時候到了。

蒙毅和張良藉此機會告辭。

9

御醫診斷，始皇的病是因風寒引起，所以必須緊急靠岸，由陸路回咸陽。大隊人馬行至平原津，始皇病情加重，已不適合旅行，改在沙丘平台行宮休養。

始皇的病一天比一天重，脾氣也變得一天比一天壞，他明知自己快死了，卻不許任何近侍提到「死」字，否則就受重罰。

群臣都關心立太子的事，但誰都不敢提起，因爲談立嗣就免不掉要提到「死」字，誰都不敢觸及始皇的這項忌諱，連蒙毅和張良都不敢，因爲怕引起反作用。

始皇病情越來越嚴重，群醫已經束手，但始皇嚴命他們不得向外透露他的病情，違者滅族，所以御醫對外宣佈始皇的病情，一直說始皇偶受風寒，需要休養，大小政事皆由李斯丞相處理，擇要向皇帝稟奏，以作裁決。

隨時陪侍的只有胡亥公子，能見到始皇的也只有趙高、李斯、蒙毅及幾個親近的內侍。有一天，隨行博士聯名上奏，皇帝偶染風寒，長期不癒，應該派出大臣前去泰山祭禱，並祭德水祈福。

始皇准奏，命李斯考慮人選。

李斯原本想親自去以討好始皇，召集蒙毅和趙高三人聚集討論。

當蒙毅猶未到場，趙高首先問李斯：

「這次至泰山祭禱，丞相準備派誰去？」

「以親貴關係而言，當然應該由我們三人中間選派一個人去，因爲這是代表主上親自上泰山祈福，並非一般祭祀，」李斯加重語氣說：「所以這個人不但要份量夠，而且要有眞誠愛護主上之心。」

「那我們三人中間又以誰最爲合適？」趙高又問。

李斯故作考慮，很久一會才說：

「中車府令要照顧主上起居，當然不宜遂行，蒙廷尉陪伴皇帝，主上似乎一日無他就不快樂，那只有老夫走一趟了。」

趙高聽了他的話，不斷微笑搖頭。

「怎麼？你不贊成老夫去？」李斯著急的問，大有怕趙高搶功奪寵的意味。

「我認爲應該由蒙毅去。」趙高一針見血的說。

「爲什麼？」

「丞相，我們之間合作已久，應該無話不可說，是嗎？」趙高不回答他問題，反而倒問一句。

「不錯，應該是知無不言，言無不盡了。」李斯點頭。

「那我請問丞相，你看主上的病情到底如何？」

李斯心想，看始皇的樣子，可說是病情嚴重，整個人都瘦得走了樣，腹部腫脹，明顯是積了水，命危已在旦夕，但他不願直接回答，而是淡然的說：

「老夫只能偶爾見到主上一下，而你是時時陪侍在側，應該比老夫清楚。」

趙高先作一陣鷩鷥笑，然後才開口說話：

「主上的病情我們都心知肚明，爲了忌諱不必挑明了講，一旦有什麼不諱的話，你做丞相的不在主上身邊，怎麼應急？所以丞相是千萬不能去的！」

「那派中車府令你去？」李斯仍然有點不服氣。

「在這種節骨眼上，我才不會傻得肯離開主上身邊！」趙高不屑的微笑。

他這句話使得李斯驀然驚醒。

對啊！看情形始皇的病是不會好了，那他千里迢迢的到泰山祭禱，他要討好誰？再說太子未立，始皇一死必有一場慘烈政治鬥爭，他不在場，注定會倒楣遭禍。但他不能就此改方向鬆口，便假惺惺的嘆了一口氣說：

「我李斯承蒙皇帝厚恩，三十多年來由一藉藉無名書生，提拔到位極人臣，榮封通侯，兒子皆尙公主，女兒亦皆嫁公子。主上對斯如此恩德深重，老夫不表達一點心意，於心不安！」

趙高微笑看著李斯，不斷的搖頭。他在心裡想——你這隻慣會惺惺作態的老狐狸，你經過我的點破後，眞要你去的話，你才會著急得哭出來。

但他口中說的卻是：

「丞相，打開天窗說亮話，在立太子方面，我們是立場不同的。」

「哪裡！哪裡！」李斯連口否認。

「我得到宮人報告，說前不久主上問到立太子的事，你建議立扶蘇，可有此事？」趙高帶著逼問的口吻。

「沒有，沒有，你別聽他們胡說。」

「也許你站在大公無私的立場，建議立扶蘇是對的。」趙高陰沉的說。

「不對，不對。」李斯情急，接連不承認。

「丞相是說我的話不對？還是立扶蘇不對？」趙高對這個極富才能，卻利慾薰心的老頭子，打從心裡看不起。

「老夫是說我根本未建議立扶蘇，那個傳話的宮人說得不對。」

「好，現在談這些無益，立太子的事，還可緩一步商量，因為在這種情形下，誰都不敢向主上提起。」

「不錯，不錯，」李斯乘機改變話題：「我們應討論的是派誰去祭禱山川。」

「依丞相所說，在下不適宜去，依小人之見，丞相不應離開，那該誰去，不言自明了！」趙高裝出豪放狀，仰天哈哈大笑，但不男不女的聲音，更加尖銳刺耳。

李斯無奈的跟著笑，不知為什麼，他李斯學富五車，足智多謀，遇著趙高這個閹人，卻是膽戰心驚，凡事不能不步步為營。

外面家僕來報，廷尉蒙毅大人到。李斯和趙高不敢托大，兩人皆至門外迎接。

坐定以後，兩人輪番提出理由，說以蒙毅既親又貴的身份，乃是代表始皇祭禱山川的不二人選。

蒙毅自思祖孫三代皆受始皇恩寵，本人和始皇更是名雖君臣，情同父子，理所當然的該由他去，他欣然的一口答應了，決定幾天內擇吉出行。

10

「賢弟，你眞的就這樣捨我而去？」

十里長亭的送別宴後，蒙毅執著張良的手，再三盤桓，依依不捨。多日來的相聚，兩人不再是賓主情誼，而是成了推心置腹的莫逆之交。

蒙毅臉上充滿離愁，張良則是滿臉的憂鬱。

「只怪我一時感情衝動，自忖於情於理，這次祭禱之行都該我去，忘了你的叮囑。」蒙毅自怨自艾的說。

「事已成定局，再後悔無益，」張良安慰他說：「何況事情也許不會像我們所想的那樣糟，說不定因爲你的虔誠感動上帝，始皇的病眞會好起來。」

「但願如此，只是按照目前主上身體狀況看起來，病想好，難！難！難！」離愁加上傷感，蒙毅忍不住兩眼濕潤。

張良內心感動，也不禁神情惘然，兩人相對默然良久，蒙毅折下長亭邊柳樹上一根長枝，遞給張良說：

「天涯海角，願長相憶！說實在的，你為什麼不能留下幫我？」

「多蒙蒙兄厚愛，張良只是一個亡國臣虜！」張良心中也是充滿了激動，不忍再欺騙他。

「賢弟何出此言？」蒙毅驚問。

「小弟不名張繼，本名張良。」接著他將自己的家世原原本本說了，當然沒提博浪沙以鐵錐刺秦王的事。

蒙毅聽得目瞪口呆，想不到多時來倚同心腹的人，卻是一個胸懷復國的亡國餘孽。最後他嘆口氣說：

「往事已矣，現天下一統，賢弟不該再存這種地域觀念！」

「早就沒有這種狹窄的偏見了，不然我會贊成立胡亥，不會費這麼多的事，裝神弄鬼幫你促立扶蘇了。」張良強笑著說。

「功敗垂成，只怕我這次離去，事情會有變。」蒙毅又懊惱起來。

張良仰臉看天，日頭還未正中，他執起蒙毅的手說：

「時間還早，說實在的，我也捨不得就此上路，來，讓我們進入亭內小歇，以茶代酒，小弟爲你借箸代籌一番！」

蒙毅命從人再擺出茶具，重新生火煮茶。兩人再進入亭內坐下。

「蒙兄去後，這裡可能發生三種狀況，」張良喝了一口熱茶說道：「一個狀況是蒙兄祭禱回來，始皇病情好轉或是沒有惡化，那就一切照我們的原計劃，什麼都不要說了。」

「那第二種情況呢？」蒙毅急切的問。

「第二種情況是蒙兄回來，始皇已有不諱，但明示詔立扶蘇。這時你只要防備朝中其他公子有變，以及各地引發的動亂。但這些可能性不太大，你只要會同李斯丞相及各大臣維持朝中秩序，等待扶蘇回來發喪繼位即可。怕只怕發生第三種狀況……」

「什麼狀況？」蒙毅插口問。

「那就是等你回來，始皇已去世，而詔立的是胡亥！」

「那又怎麼樣呢？主上一直想立的就是胡亥。」蒙毅不以爲然的說。

「這裡面一定有詐，因爲依小弟判斷，在目前這種狀況下，始皇絕不會立胡亥。」

「你是說李斯趙高他們可能矯詔立胡亥？」蒙毅不相信的搖搖頭：「他們不敢，再說李斯一向都是主張立扶蘇的，繼位的事需要經由丞相之手公告天下，單憑趙高一人無法弄鬼。」

「但你不要忘記，趙高雖名爲中車府令，而且一直委屈爲始皇御車，可是印璽和文書全由他掌管，無異掌握了整個宮中樞密！」

蒙毅驀然一驚，喃喃著說：

「那該怎麼辦？我是否該請求另派人去？」

「事已如此，後悔無益，你要求改派別人去，會傷到始皇的心，因爲他認爲這些大臣中，唯有你會眞誠爲他祈福。」

「那該怎麼辦？賢弟何以教我？」

「以我這些日子觀察所得，不管胡亥是始皇本意所立，或是矯詔所立，今後政局會由趙高所主導。」張良憂形於色的說。

「這個我知道，胡亥從小就在趙高的管教之下。」蒙毅點點頭說。

「那扶蘇和蒙家就危險了！」張良感嘆的說。

「何以見得？」蒙毅並不完全相信張良的警告。

「扶蘇幾年來監北地蒙恬軍，和令兄處得很好。」

「這我知道。」

「胡亥和趙高怕扶蘇有所異心，必定會先除去扶蘇的勢力，也就是令兄和那三十萬大軍。」

「……」

「蒙家一直受始皇寵信，遠超過所有將相，早已成為朝中大臣的妒忌目標，一旦有事，幸災樂禍的多，願加奧援的可說絕無僅有。」

「那蒙家要如何自保？」蒙毅這時才真的完全醒悟，長嘆一口氣說：「蒙家自先大父蒙驁，家父蒙武，一直到我們兄弟，只知忠心報國，並未刻意邀寵！」

「只是樹大招風，這是一定的道理，別人只妒忌蒙家得寵，不會管寵信是怎麼得來的！」

張良也跟著長嘆一聲。

「那該怎麼辦？」短短的一段談話中，蒙毅連說了幾個「該怎麼辦？」顯示他已慌張得失去了主意。

11

張良環視周圍，只見群僕正圍在山坡遠處聊天，不會聽到這邊來，他壓低聲音說：

「假若有這種情況發生，蒙家唯一自保之途，只有破釜沉舟的做！」

「如何破釜沉舟？」蒙毅不解的問。

「只怕你們兄弟做不到！」張良注視著蒙毅說。

「說說看，讓我衡量一下。」蒙毅催促說。

「一旦胡亥立位，趙高勢必煽動胡亥除掉扶蘇，免留心腹之患，連帶將蒙家連根拔除，不只是你兄弟二人，恐怕會是滅族之禍！」

蒙毅由心底冒出寒意，但他不能不承認有這個可能。

「蒙家將如何自處？賢弟有以教我！」蒙毅懇切的說。

「擁兵自保，待勢而動，這是蒙家唯一自保之道！」

「胡亥如要加罪，一定是反叛罪名，那豈不正應了這個罪名？」蒙毅搖頭說。

「扶蘇和蒙家可效昔日趙國李牧故智……」

「怎樣做法？」

「不奉詔，不言叛。你應早些通知令兄和扶蘇預作準備，令尊雖在渭水躬耕，自認已在塵世外，但覆巢之下沒有完卵，弄不好還成爲要脅你們弟兄的人質，所以你應及早通知令尊和其他家族，以投親名義提早遷往北邊。而你祭禱山川已畢，假若得知始皇已駕崩的消息，也就不必再回去覆命，直奔北邊令兄軍中。」

「只怕家父和家兄都會說我危言聳聽。」蒙毅有點懊惱的說。

「不然，」張良笑著說：「依我判斷，只要你將始皇病重的消息傳回令尊處，令尊就會遷地爲良，不過不一定會去北邊。」

「難道說，賢弟比我這個做兒子的更了解自己的父親？」蒙毅有點不服。

「也許令尊和張良乃是同道中人，淡泊名利，知機先著，一切以養生恬適爲主，能爲則爲之，不能爲則高蹈遠飛，絕不像一般所謂忠臣烈士或貪夫夸士，自撲名利之火。至於令兄和扶蘇，那就看你如何說服他們了。」

「這又要惹出一場刀兵之禍，蒙毅兄弟於心不忍。」蒙毅低頭嘆息。

「我的看法不同，」張良說：「只要扶蘇和令兄不公開言反，胡亥和趙高不敢輕攖三十萬精兵之鋒，再說朝中大將也沒有一個是令兄的對手。」張良侃侃而論。

「……」蒙毅陷入沉思。

「這樣一來，胡亥在位若賢，扶蘇和令兄可加以輔助，若趙高以惡濟惡，胡作非爲，引起朝中宗室和大臣反感，民間不安，扶蘇可以名正言順討伐，這就是所謂進可以攻、退可以守的上上之策。」

蒙毅仍然沉默不語。

「臨別之言，望廷尉留意，否則聽從亂命，不但扶蘇公子及蒙家遭殃，而且會禍延天下百姓。始皇帝加在民眾身上的壓力已到極限，始皇帝在，因爲英明勤勞，尙能控制。最要緊的是因他年事已高，有志之士尙懷一點希望，等待仁慈的繼位者。假若年輕的胡亥繼位，再變本加厲的增加百姓的負擔，一旦反抗發動，將如星星之火可以燎原，一發就不可收拾。」

張良注視蒙毅，只見蒙毅還是低頭無語。他抬頭望望天際，日頭已經當中，他充滿離愁的說：

「蒙兄，時間已不早，小弟該上路了。」

蒙毅握住他的雙手說：

「假若扶蘇能繼大位，還望賢弟出山輔助。」

「到時候再說吧！」張良灑脫的笑了：「只希望蒙兄能謹愼而又果斷的度過這一關。」

「賢弟放心，我雖然離開主上身邊，還是留得有人，有所動靜會先通知我。」

「那小弟就放心了，我會永遠記得和蒙兄這段交往。」張良誠懇的說：「送君千里終須一別，就此告辭！」

張良爬上一部單馬安車，自行御駕，絕塵而去，猶時時回頭揮著手上的柳枝。

蒙毅佇立遠望，一直到車後塵灰散去，仍捨不得走。

始皇躺在病床上，近日來也都處在昏迷狀態，今晚夜半，他突然淸醒過來。內寢沉寂，只有一名輪值的小近侍坐在昏黃的燈光下，頭一點一點的在打著瞌睡。往日見到這樣，他一定會加以叱責，甚至是交近侍總管嚴罰，但今夜對這個只有十多歲的半大女孩，卻有著說不出的一股憐惜。

俗話說得眞是一點都不錯，「有福之人人服侍，無福之人服侍人！」十多歲的孩子應該是最貪睡，雷都打不醒的年齡。

他不想驚醒她，雖然他感到有點餓。

中隱老人告訴過他，身爲帝王，應該凡事都以理智判斷，不能帶一點感情成份，譬如，眼前輪值的這名小近侍打瞌睡，按宮規，不出事杖責二十，因而誤事者論斬，絕不能因爲她年幼長得可愛，就動了憐憫。

中隱老人說，帝王動了感情，就表示他的統治人格已經軟化，乃是帝王的一大危機。

他爲什麼近來常出現這種統治人格軟化的現象？是因爲他知道自己在世的日子不多，對這個世界產生了依戀，因而對周遭的人和事，動不動就會感到傷感和憐惜，還是因爲在這幾天的斷斷續續昏迷中，他想到和夢到的都是充滿著柔情的人和事？

剛才他還夢到了皇后，病後這段時間，他幾乎每天都會夢到皇后，中間偶爾會摻雜著其他的人：中隱老人、名義上的父親莊襄王、生身父親呂不韋、母親帝太后……等等，但都沒有像夢到皇后這樣眞切，兩相面對，就像生前一樣。

剛才他夢到的皇后著的是仙女裝，寬大的綠袍，大袖細腰，頭戴珠珞冠，長長的珍珠串成排的覆著額頭，看上去比著皇后服更多一份飄逸。

她無限憐愛的撫摸著他蒼老瘦削的臉說：

「嬴政，你辛苦了幾十年，如今是該休息的時候了，看，你好可憐！」

「可憐？」當時在夢中的他不服氣的笑了：「朕擁有宇內，貴爲天子，富貴爲前世任何帝王所不及，妳還說朕可憐嗎？」

皇后笑了，就像聽到他八歲時說錯話那樣笑了，輕蔑而帶著姑息。

「我說得不對嗎？妳有什麼好笑的？」他有點生氣。

皇后耐著性子，就像十三歲時撫慰他剛愎的脾氣一樣，掛著甜甜的笑容說：

「人間本就是苦難，乃是上天責罰生靈的牢獄，權勢越大的人也就是受罰越重的，壽命長也就是刑期長，你懂得嗎？」

「玉姊，妳的話我聽不懂！」他困惑的搖頭。

「就拿你來做比喻吧！你自認功過三皇，德超五帝，實際上情形也是如此，但想想看這幾十年你過的是什麼日子，所以你要明白一句話：『最好不生，次好早死！』沒有犯天條造下罪孽的生靈，不會罰到世間受苦，這就是『最好不生！』刑罰期短，活得短，最好是出娘胎生下地就夭折，這是『次好早死！』的解釋，你懂了嗎？」

「我不懂，我也不想懂，」他嬉皮賴臉的說：「爲什麼我掌握天下大權，享盡人間榮華富貴，食前方丈，後宮三千。一聲令下，千百萬人隨之遷移，一皺眉頭，千百人頭落地，妳反而說我不如剛出娘胎就夭折的嬰兒！」

「痴兒，痴兒，你眞是至死執迷不悟了！」皇后嬌嗔跳腳的嘆息。

他注視著皇后嬌艷的臉頰和輕盈的體態，有如十七、八歲的處子，眞是越長越年輕了，再想想自己比她還小五歲，卻是半頭白髮，臉有皺紋，垂垂老矣，這也許是仙界人間最大的好壞區別，仙界自然而然永保青春，但在人間，以他天下之主的權勢財富，卻換不來片刻時間的留駐。

他不禁又想起徐市和他的「青春之泉」。

皇后彷彿能看穿他的思想，微笑著說：

「痴兒，你現在總算開始有點開竅了！」

他凝視著皇后的嬌態，忍不住有點意亂情迷起來，他上前想擁抱她，口中說著：

「玉姊，好久沒親近妳了，讓我抱抱！」

「別碰我！」皇后怒叱：「你的混濁之氣會弄髒了我！」

看到他難過沮喪的樣子，皇后似乎不忍，又展開笑靨說：

「時候快到了，我倆會永遠相聚，痴兒，你這樣急在一時幹嘛？」

13

他從夢中醒來，也是昏迷中清醒，心中還殘留著夢中的傷感性溫馨，久久不能自己。

也許皇后的話說得對，「最好不生，次好早死！」他認真仔細的回憶和檢討他這一生起來。

的確，不管他外表是多尊榮顯赫，日夜都有多少人圍擁在他的身邊，服侍他，守候他，護衛他，但自懂事以後，他心中總存在著一股孤單寂寞，怎樣都排遣不去。

嬰兒期，不記事，他不知道自己是怎樣渡過的，但能肯定的，他那個名義上的父親，也就是給予他世間地位權勢的父親莊襄王，看他的時候一定不會有好眼色。

自他懂事以後，他就最怕「父親」這種綜合痛恨、厭惡、恥辱卻又帶幾分憐惜的複雜眼神。

「父親」從來不抱他，從來不像別人的父親那樣，將他抱在膝上親他吻他。

陰陽家將男女之氣也分成陰陽，一個孩子的長成，不但需要母親女性陰氣的滋潤，也得靠父親男性的陽氣來培植，陰陽之氣相交培養，才能成長出一個各方面都健全的人。所以修道的人講求吸取日月精華，只是日的陽氣或是月的陰氣，都不能使一個人或其他生靈修成正果。

這種說法聽上去荒唐無稽，但想想也有幾分道理，這輩子他最遺憾的是，從未聞過男性身上那股微帶汗酸的粗獷味道，他只記得這些女人的脂粉味和陰柔氣息。

然後是「父親」立為太子，在秦國廣納姬妾，卻將他們母子丟在趙國幾年不聞不問，讓他被那些同年齡的孩子喊為「棄兒」，受盡了欺凌和侮辱。

邯鄲幾年應該是最富歡樂回憶的童年，留下的只是和一個孤獨老人浪遊市井，看盡人間慘痛的辛酸回憶，除了和皇后短短的那段溫馨，但即使是這段溫馨回憶，其中仍然是悵惘成份居多。

再後來，以十三歲的稚年成為秦王，國事又有可靠的大臣處理，照說這段日子應該過得充實而充滿歡樂。但事實上不然，母親的公開淫行，使他成了群臣和百姓的笑柄。

在上位者被臣屬輕視，而又不是因爲自己的過錯，這種羞慚夾雜著憤怒的難堪滋味，非親身嘗試，絕對無法體會！

然後是和親生父親呂不韋的政治鬥爭；同父異母弟成蟜的反叛；母親情夫嫪毒的叛亂！明知道是母親的情夫，是她淫行的罪魁禍首，還得讓他裂土封侯，別人事先造成事實，事後還要他簽名用璽，以他的名義發表。

這是多大的屈辱！非身受者，誰能體會？

再然後是逼死生父，放逐親母，讓他受盡群臣的責難和背後的辱罵，說他是梟獍禽獸，殺父食母，連尙知反哺的烏鴉都不如。

但誰知道他這樣做的苦衷？誰知道他下這個決心時所遭到的內心痛苦？

他不這樣，很快秦國就將成爲商人的王國，以呂不韋爲核心的官商勾結集團，很快會掌握整個秦國經濟筋脈血管，全國人民都會變成這些商人的工奴和農奴！

他能向群臣和民眾這樣解釋嗎？就是解釋，又有幾個人願意聽、能夠懂？事後秦國國力大增，能夠以一國之力平定天下，這次政治也是經濟的政變，佔著關鍵地位。

沒有人體諒他爲了國家而犧牲生父的苦心，對他的回報反而是全國一致的唾罵。

孔丘說得對：「民可使由之，不可使知之。」罵就讓他們罵吧！

還有他那位可憐的母親，「父親」在世時是棄婦，死了以後她成爲寡婦，境遇和他一樣堪憫，但她是母儀天下的太后，如此不知檢點，他不羞辱她一下，讓她收斂點，他怎麼面對全國甚至是天下？

右史在秦王行事史上已爲他記上了一筆——

×年×月，秦王政逐母並撲殺兩同母異父兄弟。

當時、現在以及後世的人看到這段史實，肯定都會罵他殘忍，罵就讓他們罵吧！

接著是六國戰爭，他製造了多少舊既得利益者的仇恨？他擔了多少驚，受了多少怕？雖然他沒有親冒矢石，可是在後方面對不可知的焦慮恐懼，比起親臨戰場，一切情況明朗化的情形，還要可怕可憐得多！

然後是修道路、建水利、築長城、開發南疆，樣樣都有人反對，件件都有人在背後罵，幾千年來懶散慣的民族，想一下推動起來，眞還不容易。

爲了後代子孫的富強，就讓他多挨點這一代人的罵吧！民可使由之，不可使知之！歷史要怎樣寫，後人要怎樣相信，那是他們的事。

14

打瞌睡的小近侍也醒了，她驚惶的四處張望，看是否有人，然後悄悄的走近臥床，察看始皇是否醒了。

始皇本想責備他幾句，最後還是閉眼裝睡，他在思考問題的時候，不願意和別人說話。小近侍認爲他是睡熟的，又回到原來的位置坐下，這次大概精神養足，再不敢打瞌睡了。眞的，也許他犯的天條，比這個小近侍重多了，所以到人間受的罰也重。這個小女孩只要能偷偷在值班時睡一會，就會產生莫大的滿足，只要下班無事就可以做著少女的美夢，三年後輪換出宮，存點嫁粧私房錢，就可嫁個如意郎君。

而他是孤單、寂寞，爲別人受驚擔怕到死！

想到死，他突然驚覺，中隱老人的「不依、不戀、不怨、不悔」的帝王八字訣，又浮上心頭。

過去的怨悔無益，他還有很多後事需要安排。

立扶蘇繼位，在目前這種情形下是無可質疑的了，雖然他心中仍有所遺憾，不能立他和皇后所生的唯一愛子。

他應該交代扶蘇，他還年輕，有的是時間，可以慢慢的來，前六國貴族及囚犯人數減少，工程應交由全國地方分擔，不要將建設重擔像他一樣一個人獨擔。

他應該開始注意與民休養。阿房宮工程應立即停止，不要再擴大，驪山陵墓能省則省，能停則停，這些囚犯可以轉用到築長城及實邊上去。

還有，秦法已經夠嚴，他在世時是因爲天下初定，殘餘反對勢力猶存，他不得不用峻法嚴刑，今後新主即位，天下人都希望鬆一口氣，扶蘇可借這個機會行仁政。

他曾答應過以武力奪天下，然後以仁政治民，可惜他命短，要做的事太多，不能實現對中隱老人的諾言，扶蘇應該可以爲他實現。

還有，扶蘇的資質比不上自己，應該要他廣納眾議，集思廣益……要注意培養人才，免得到時人才斷層，無人可用……

還有……

還有……

平時對這些兒子們似乎是無話可談，到了臨終前，卻發現有這麼多事情交代不完。

千頭萬緒，他的胸口又感作痛，頭暈耳鳴，作嘔想吐。

他閉上眼睛養神，什麼都不去想他，過了一會，舒服一點，他想起剛才想要交代扶蘇的話，應該立即記下來，並寫下詔書，明令扶蘇繼位。

詔書寫好，明天就召集群臣發佈，命令扶蘇趕回咸陽爲他辦理喪事。他想，他是不會活著回到咸陽了，沙丘離咸陽，經由直道也有足足兩千里。假若病勢輕點，他要立即趕回咸陽，要扶蘇在九原直道啓端迎接他。

不過，看自己的病勢，算了，他拖不了那麼久，現在最重要的事是將要交代扶蘇的事先寫出來。

「來人！」他用力喊出，驚恐的發現到，喊出的聲音卻是如此微弱。

小近侍聞聲連忙跑過來，跪伏在地行禮：

「陛下有什麼吩咐？」

「將筆墨和錦綾準備好，朕要寫點東西。」

「陛下龍體欠安……」小近侍非常體貼。

「不要囉嗦，照吩咐做！」他斥責中帶點笑意。

小近侍一切準備好以後，將始皇扶坐到書案前。開始時始皇還想強示硬朗，不要她扶，誰知下床腳一落地，就像踩在雲端，一點都著不了力，頭一暈眩，差點跌倒，小近侍連忙扶住他，但他人高體重，小近侍用盡全身力氣才勉強頂住。

「陛下，還是上床休息，奴婢去傳侍中來記錄。」小近侍恭聲勸諫。

「不要妳管，快扶朕坐下！」始皇有點不耐的說。

始皇坐正，要小近侍在枕邊取出他隨身攜帶的密璽，他手頭無力，要她先在錦綾上蓋上，然後他提筆寫了稱呼和勉勵話，剛開始寫下第一句正文——

以兵屬蒙恬，與喪會咸陽而葬。

他只覺得胸口暴痛，頭腦一陣昏眩，連人帶筆撲在書案上，再也沒坐起來。

小近侍不敢聲張，輕泣著趕快找趙高去。

15

趙高得到消息，帶著一名心腹近侍匆匆趕到。他們連忙將始皇扶上床，始皇只指著書案上的信和璽，斷斷續續的說：

「璽和信派人傳給扶蘇！」

說完話就氣絕身亡。

趙高最先有要喊「來人」的衝動，但他立即冷靜下來，要心腹近侍守住內寢門口，不准任何人進來。

他先摸摸始皇的鼻息，確定他已死，而且體溫也在逐漸下降。

他拿起書案上未寫完的信，看了很久，心中產生極大的矛盾。

他轉頭看看僵臥在床的始皇，狠狠在心中罵著：

「看你在生時威風不可一世，到如今躺在那裡，還不是和死狗一樣！」

他在室內又來回轉了幾趟，兩隻鼠眼向天，不停的轉動，最後他咬咬牙齒，將信封好，連同玉璽裝入自己的袖袋裡。

他將心腹近侍喊進來，在他耳邊說了幾句話，等到近侍離開，他大搖大擺的在書案前坐下，將小近侍喊到面前，問了一點始皇死前的情形。

這時候他的心腹近侍另外又帶了兩個宦者來，他們不懷好意的圍住小近侍。趙高也一改剛才和藹的態度，凶巴巴的說：

「妳照顧主上不周，以致主上跌倒身亡，該當何罪？」

「中車府令請饒命！」小近侍跪在地上，不停磕頭，哭得像個淚人兒似的：「大人，這不能怪奴婢！」

趙高態度又突然轉變，裝出一副憐惜她的樣子，和言悅色的說：

「想活命並不難，只是回答我一句話，主上駕崩了沒有？」

小近侍轉頭看看僵臥在床上的始皇，結結巴巴的說：

「剛才奴婢探過鼻息，確定主上是已經斷了氣。」

「大膽！」趙高又沉聲怒喝說：「妳是在找死！」

小近侍渾身顫抖，不知道該如何回答。

「主上活得好好的，正在安寢，任何人都不得打擾，對不對？」

「主上正在安寢，任何人都不得打擾！」小近侍爲了保證趙高不會生氣，只有照著他的話說。

「對了，除了我以外，任何人問起主上都要這樣說，明白嗎？」

「奴婢明白。」

「好，起來吧！」

「多謝大人。」

小近侍磕了頭，正要爬起來，趙高忽然又說：

「等一等，嘴上無毛，年紀輕不懂事，再加上女人話多，我不能相信妳！」

「大人饒命！大人饒命！」小近侍叩頭流血。

「這樣吧，」趙高緩緩的說：「要命就不要口，爲了防止妳控制不住自己亂說話，把這瓶藥喝下去！」

他的心腹近侍從袖口取出一個小藥瓶，另外兩名近侍上來一邊抓一隻手，心腹近侍抓住她的頭髮，硬將她的嘴拉開，整瓶瘖啞藥都倒了進去。

小近侍不敢掙扎，從此也不能再說話。

「好好聽著，」趙高神氣的說：「從此由妳照顧主上的起居，不准任何人進來打擾，聽清楚就點頭，否則就要妳的命！」

小近侍連連點頭，淚像泉水一樣從秀麗的眼睛中湧出來。趙高又交代心腹近侍一些事情，然後諷刺的跪倒在床前行禮：

「陛下請休息，奴婢告退！」

第28章

山崩餘震

1

密室中燈光昏暗，胡亥與趙高面對面相對而坐。

胡亥剛祭拜過始皇的遺體，臉上的眼淚猶在。

他眞的不敢相信，剛強自信、自號「眞人」、追求長生不老的父親，說走就走了！他這下總算明白，爲什麼一個皇帝的死，要稱作「山陵崩」。

至少，他胡亥失去了這座大靠山，立即要面對風險水惡、錯綜複雜的政爭，眼前就有處理不完、千頭萬緒的事情，他眞的害怕面對。

他像一隻尙不會飛的雛鳥，突然失去母鳥，茫茫然不知何去何從，頭腦裡塞滿了東西，卻又好像一片空白。

趙高坐在燈光陰影處，兩隻小眼睛閃閃發亮，就像一尾躲在洞中的毒蛇，正盤算著如何吞噬這隻孤獨無依的雛鳥。

在他們共坐的席案上，攤放著始皇要交付給扶蘇的玉璽和書信。趙高看到胡亥沒有了主意，只知道哭泣，他不得不先說話：

「公子，你必須要爲自己作打算，等書信和玉璽送出去就來不及了。」

「師傅，」胡亥擦乾了眼淚說：「父命難違，父皇既然要傳位大哥，我也沒有什麼話好說。」

「眞是沒出息！」趙高狠狠的罵了一句。別看他在始皇面前卑躬屈膝，一副奴才相，在胡亥這裡，他可是十足的師傅架勢。

「老師，你曾教過我，兄弟應該禮讓，並以吳國延陵君季子札爲例，要我學他的寬大胸襟，何況父皇屍骨未寒，就違背他的遺命，另有企圖，眞是於心不忍。」

聽了胡亥的話，趙高忍不住在心裡罵——這個渾小子，眞不知道死活，事到如今，還這樣傻呆，以我之矛，攻我之盾。他難道眞不明白，那次這樣教他，乃是在始皇面前暗讚始皇和長安君成蟜的友愛，因而使得始皇龍心大悅，對他又有了進一步的信任，放心大膽的將胡亥交託給他。

但趙高口裡所說的又不一樣，他嘆口氣說：

「公子在這樣危急的時候，還記得我教你的友愛，可稱得上是性敏好學了，可是事情有經有權，有常有變，有時候你也應該學學權變。」

「這件事是父皇親筆遺命，還有什麼權變可言！」胡亥頑固的脾氣倒有點像他的父親。

「唉，公子，」趙高有點不耐煩了：「怎麼和你說不通！你想想看，你是皇后嫡出的獨子，按什麼道理都應該你繼皇帝位。」

「可是父皇有遺命，他有隨意傳位給任何一個兒子的權利。何況大哥是長子，蘇庶母雖然未立皇后，實際上她掌管後宮、母儀天下這麼多年，在群臣和黔首心目中，她早就已是皇后，扶蘇大哥也算得上是嫡出。」

「你這個孩子怎麼啦！」趙高扳起師傅面孔訓人：「總是以一些歪理來幫別人說話，真的是過年的雞鴨不知死活。」

「老師請講，胡亥是怎麼不知死活？」胡亥不服氣的頂嘴，這是他對趙高的老習慣。

「古時公子都有封地，不當帝王也就罷了，總還有一個地方可以安身立命。如今大秦已廢棄了封建制度，始皇帝有子二十餘人，得位者擁有天下，不得位者無立錐之地，相差何止天壤之別？」趙高想以富貴貧賤來打動他。

「沒有關係，父皇生前所賜我莊園田地，黃金珠玉，夠我和妻子幾輩子都吃喝享用不完了。」

趙高在心裡想——這個渾小子既不貪圖權位，又不愛慕富貴，看樣子只有用生命危險來威脅他。

他裝著一副欲言又止的樣子對胡亥說：

「有些話我本來不想說，怕你認爲我是在挑撥公子兄弟間的感情。」

「老師，你我師徒之間還有什麼不可說的。」胡亥雖渾，倒也知道尊師重道。

「你是否知道蘇妃一直和皇后不睦？」趙高瞇起鼠眼，故作神秘狀。

「我可看不出來啊！」胡亥驚詫的說：「蘇庶母在母后生前，一直很尊敬母后，母后去世後，她每見到我，都會含淚告訴我一些母后生前事蹟，盛讚她的仁厚。」

「女人嘛！總是會以眼淚鼻涕來做假的，」趙高故意嘆了一口氣：「其實她生長子卻不能立后，早已恨死了後來居上的皇后，我就親耳聽過，她背後向一些妃姬辱罵皇后，說什麼憑一個二嫁女人，不但生前僭居皇后位置，連死後也霸住不放。」

母親是二嫁夫人，乃胡亥一直引以爲奇恥大辱的事，只要宮中有人提起，他不將這個人置之死地絕不甘休。趙高這句話終於擊中了他的要害，他氣得滿臉通紅的說：

「蘇庶……不，蘇妃眞的敢這樣說母后？」

「唉，公子也不必生氣了，她的兒子馬上就是皇帝，你再生氣也拿她沒辦法了。如今最要緊是如何防備她得權以後加害於公子。」趙高看到這一招生效，忍不住在心裡偷笑，但表面上依然裝得誠懇。

「她眞會加害我和家人？」胡亥心動的問。

「女人的嫉忌心，使她們什麼事都做得出來！」

「那我該怎麼辦，想安安穩穩做個庶民都不可能？」胡亥開始著急。

「公子聰慧，該知道怎麼辦！」趙高鼓勵的說。

「由我來當皇帝，就不怕他們加害了，」胡亥自然而然得出這個結論：「但要怎麼個做法？」

「公子果然聰明過人，」這是平日趙高教胡亥功課時的口頭語，現在又順口溜出來：「只要公子肯爲，臣自然會將一切安排妥善。」

這是趙高首次向胡亥稱臣，他儼然已將胡亥看成是二世皇帝。

2

當晚深夜，胡亥將李斯召進行宮，秘密告訴他始皇的死訊，並帶他到寢內悼拜始皇的遺體。

李斯先瞻仰了一會始皇遺容，隨即跪伏在地，還怕驚動宮內其他的人，不敢放聲大哭，只能飲泣吞聲，喃喃有如自語的說：

「李斯本只是上蔡閭巷一布衣，幸得陛下知遇，得以位極人臣，官爲丞相，爵至通候，子孫皆至尊位重祿，本想盡一己之忠，多爲陛下效犬馬之勞，不想天不假年，哀哉！」

李斯是何等聰明人，他到達宮內，看不到一點始皇駕崩的跡象，明白這裡面一定有問題。他哭的話也是說給趙高聽的，意思是告訴趙高，凡事都得經過他丞相這一關。

胡亥以孝子身份在一旁答禮。

悼拜完畢，趙高單獨將李斯迎入密室，兩人坐定後，李斯先開口發問：

「中車府令是否知道胡亥公子如何替主上發喪，是先將喪訊送咸陽，還是在此立即公告天下？」

趙高詭祕的笑著，從袖口中取出始皇賜扶蘇的玉璽和書信說：

「這是主上賜扶蘇公子的東西。」

李斯檢視了璽書以後，寬慰的笑著說：

「主上雖然一時猝崩，未來得及書完全信，也未明言出立扶蘇公子爲太子，但他未賜書給任何公子，而只要他會喪咸陽，並將玉璽遺賜給他，要他繼位的意思很顯明，尤其他身爲長子，更是名正言順。」

趙高仍然坐在他常坐的燭光照不到的陰暗處，就像藏在洞內的毒蛇，你捉摸不到他臉上的表情，他卻能看清你的任何動靜。

李斯雖然自認爲足智多謀，在別人眼中也是個詭計多端的老狐狸，可是他見到趙高，心中總是帶著三分恐懼。

趙高未說話，先做他慣有的鷺鷥笑，然後才說：

「丞相所言有理，而且丞相也是一向主張立扶蘇的，可說是宿願得償。」

「……」在未弄淸趙高的眞正用意前，李斯不敢隨意答話。

「但是，」果然趙高並沒有等他回話，而是自顧自的說下去：「丞相要弄淸楚一件事，扶蘇繼位對丞相並沒有好處。」

「李斯承蒙主上恩遇，以一布衣不次拔擢，得到今天的地位，當然應貫徹主上的遺志，輔佐扶蘇公子，」李斯堅決的回答：「有否好處就在所不計了！」

趙高先是嘻嘻一陣鷺鷥長笑，然後又冷哼了幾聲，他壓低聲音說道：

「只怕是你個人單方面想得好，扶蘇公子繼位，還輪得到李丞相你輔佐嗎？」

「此話怎講？」李斯驚問。

「我承認，主上二十多個公子中，以扶蘇最爲傑出，剛毅而又仁厚，能得民心，尤其這幾年監蒙恬軍，無論在軍政各方面的表現，都受到朝中大臣稱讚和北邊父老的好評。修築長城這樣煩難的苦役，幸虧他調配得宜，撫慰有加，總算沒有鬧出像驪山那次服役者叛逃的事件。但是，丞相，你可想到與我們私人之間的利害關係？」

趙高一邊侃侃而論，一邊注意觀察李斯的臉色。他見到李斯一時神情數變，明白他的話已打動了李斯的心，因此他暫停說話，等待剛才一番話在李斯心中發酵。

果然，李斯沉默不語良久，最後才掙扎著說出：

「以古今歷史來看，凡是廢長立幼，違逆天命的，最後都會弄得國破家亡，社稷不安，李斯還是人，不敢做這種逆天又逆主上的大逆不道之事！」

「唉！」趙高嘆了一口氣說：「丞相怎麼這樣不通權變？說實在的，胡亥公子這個人也不壞啊！趙高教了他這麼多年，對他可說完全了解。雖然他不善言辭，但仁慈篤厚，輕財重士，乃是其他公子所比不上的，何況他是皇后遺留的獨子，也是主上生前最疼愛的兒子，丞相明白嗎？主上所以遲遲不肯立太子，就是想等他學有所成，有所作爲表現！」

「這點我承認也明白。」李斯點頭說。

「這還有什麼話說？扶蘇立，你我將來連立錐之地都沒有，尤其是扶蘇早就討厭我們兩個人，說我們一個是毒蛇，一個是狐狸，只會合起來狼狽爲奸逢君之惡，只要他能登上皇帝之位，首先要開刀的就是我們兩個！」

「扶蘇公子這樣說過嗎？」李斯半信半疑的問。

「丞相相信也好，不相信也好，總之扶蘇繼位，丞相和將軍的位置一定是蒙毅和蒙恬弟兄二人。」

「這我倒是相信的。」李斯說。

「胡亥公子承諾，只要他能繼位，你的通侯位置將世代勿替，永遠傳下去，」趙高裝出語重心長的意味說：「丞相，現在這一刻，屠刀還操在我們手上，爲什麼不制人機先，反而要授刀柄給別人，聽任別人的宰割？」

李斯仰天長嘆，眼淚泉水似的湧出，他嘆息說：

「時也，運也，既然命該如此，李斯還有什麼話說，我一切聽胡亥公子的。」

就在這時，密室的門開了，胡亥笑嘻嘻的走進來。

趙高首先參拜，小聲輕呼：

「陛下萬歲！」

李斯不得不跟著行禮。

3

三人接下去徹夜會議，得到了多項結論，其重要者如左——

一、目前知悉始皇駕崩的，除了他們三個人以外，只有三名近侍，兩名宦者是趙高的心腹，那名宮女則已變成啞巴，而且限制在始皇遺體附近照顧，因此不怕走漏消息，不過要留意防範有更多人知道。

二、因爲始皇死在都城以外遙遠的沙丘，爲預防在北邊的扶蘇及在咸陽的諸公子有所異動，以及防範各地異議份子的騷動，所以不公開始皇的死訊，而命那名宮女待在轀輬車中假扮始皇，奏事上食如故。不過爲了怕洩密，對群臣宣佈，始皇龍體欠安，不耐接見群臣，有事一概由丞相綜合轉奏，後宮事由中車府令轉奏。

三、由李斯模仿始皇筆跡擬定親筆詔書，蓋用密璽及國璽，明令立胡亥爲太子。

四、由李斯模仿始皇筆跡擬定親筆詔書，責備扶蘇在邊地沒有建功，反而多次上書直言誹謗皇帝用民太苛，並因不能歸都立太子，日夜有所怨言，賜劍自裁。蒙恬與扶蘇日久，應知其謀，既不匡正又不上報，爲臣不忠，賜死，大軍交由裨將王離率領。

五、即日啓程經由九原直道返咸陽。

六、始皇遺體以薄棺裝置轀輬車中。天氣燠熱，屍臭外洩，爲了防群臣起疑，購鮑魚一石放在車中，以混淆屍臭。

三人會商完畢，天已大亮，胡亥向兩人道謝說：

「胡亥得以繼位，全靠丞相和師傅支持，大恩不言謝，今後治理天下，胡亥年幼，仰仗兩位的地方甚多。」

李斯和趙高連稱不敢，跪伏行禮參拜。

胡亥意得志滿的走了，看不出一點喪父的悲傷。李斯看到這種情形，暗暗嘆息，告辭趙高回住處，猶在心中高喊，被逼上了賊船！

他想到大秦刑法嚴峻，民眾賦稅勞役又如此重，天下民心皆怨。始皇在時，英明勤政，尚能勉強鎮壓。他這一死，尤其是除掉頗有改革希望的扶蘇和忠心耿耿的蒙恬，讓胡亥和趙高這種人來胡搞，天下注定會大亂，到時候還是要他來收拾。

想到今後要聽頑劣的胡亥的命令，要和小丑其面、心如毒蛇的趙高共事，他的背脊骨上像潑了一盆冷水。

怨嘆歸怨嘆，木已成舟，想悔已難，再想到要是扶蘇立位，討厭他的蒙家會當權，他的日子也不會太好過。何況，趙高雖然狠毒，他總是個閹人，管不到宮外的事，因為自嫪毒事件發生後，始皇就定下規矩，宦者嚴禁參與政事，並不得封爵，今後朝政還是會由他主導，只要將趙高敷衍好，兩人可將胡亥玩弄於股掌之上。

想到日後的獨攬大權，他不禁獨自發笑。

稍事休息，起床後他就以始皇帝的名義發出一道道詔命：

——命郎中左令準備行宮出發事項，三日後取道井陘、九原直道，直返咸陽。

——立胡亥爲太子，並立即公告天下。

——派太子胡亥舍人爲使者，賜書扶蘇及蒙恬於上郡。

——通令各郡，遇蒙毅於途者，扣留之。

李斯將所有的詔命和書信寫好，送交趙高用璽發出，他自感已經變成始皇，一掃以前凡事都得請示，都得唯唯從命的鬱悶。

獨裁者的味道眞好！

4

太子舍人顏取，奉命爲始皇帝使者至上郡蒙恬軍中。

扶蘇及蒙恬開中門迎入，並擺設香案跪聽詔命。

在顏取宣讀詔命已畢，將詔命交與扶蘇，三人交談了一會，扶蘇含著眼淚送走使者，派人安頓顏取及從人到賓館休息。

顏取臨行神情嚴肅的說：

「希望公子能善以自處，讓下官可以早日覆命。」

扶蘇還沒說話，蒙恬卻在一旁說了：

「末將奉詔將兵權交裨將王離，交接得花一段時日，貴使奉命代護軍一職，也得費點時間向公子請益，詔命既已送到，扶蘇公子和我自會善自了斷，貴使不必急在一時。」

顏取聽蒙恬如此說，當然知道他是在拖延時間，想跟扶蘇商量。他雖然感到生氣和不耐，但是赤手空拳進入他們的勢力範圍，也不敢發作。

好在顏取還不知道帶來的詔命是假的，始皇屍體已發臭腐爛，否則打死他也不敢來。因此他故示大方的說：

「那下官就靜待聽取公子和蒙將軍的回音了。」

扶蘇和蒙恬送走使者後，回到府中密室商談，坐定以後，蒙恬先嘆口氣說：

「張良眞的有先見之明，果然出現異狀了！」

「但如今狀況卻和張良預測的不盡相同，父皇雖然生病，但仍然在理事，我剛才詳細盤問了使者，發現不出什麼破綻，而且顏取神情自然。假若有詐，他赤手空拳只帶十數個從人來接收三十萬大軍，又能表現得如此從容鎭定，那眞是荆軻再世了！」扶蘇搖頭嘆氣，臉頰上的淚痕猶未乾。

「這裡面一定有詐，」蒙恬沉思的說：「我直覺的感到其中有詐，以主上的脾氣，不可能突然這樣做，同時加給公子和我的罪名也太牽強，我們應該要求見主上申訴。」

「君要臣死，臣不得不死；父要子亡，子不能不亡。主上對我是兩者兼之，他要我死，我還能說什麼？」扶蘇又長長嘆口氣。

「張良的計劃用不上了？」蒙恬是問扶蘇，也是在自言自語。

「父皇在，你還敢以卵擋石嗎？」扶蘇感到好笑，忍不住帶著眼淚笑起來，他不好意思的用袖口擦乾了眼淚說：「蒙兄，你知道我不是怕死，而是傷心父皇為什麼會這樣誤會我，所加的罪名根本都是我沒有犯過的！」

「這個正如詔書上所說的，我是再清楚沒有的了！主上說你日夜怨懟，我看到的是你時時自責不能討父皇的歡心；詔書上責你上書誹謗，依我看句句都是肺腑血淚之言，」蒙恬慘笑著說：「每次公子上書言事，主上覆書都是慰勉有加，怎麼這次突然變了？」

「唉，罷了！」扶蘇仰天長嘆，指著書架上的詔書說：「書是父皇的親手筆跡，這是熟知而且核對無誤，上面蓋的密璽，乃是父皇隨身所攜帶，絕不會假手別人，也許是父皇生病，性情一時大變。」

「蒙恬總覺得這中間有什麼不對，」蒙恬仍然堅持他的懷疑：「公子其實不需要這樣急著死，上覆以後再說。」

「君命不可違，父命不忍背，君父賜臣子死，還有什麼可覆請的！」扶蘇掩面而泣，淚下數行。

蒙恬滿懷憤怒，但不便說什麼。

過了很久一會，扶蘇擦乾了淚，命侍僕拿來筆墨白綾，他提筆想寫封信給父皇，但思緒太亂，無法下筆，最後他執筆長嘆說：

「既然已決定死了，還作什麼解釋？」

他又轉向蒙恬說：

「我有一個折衷辦法，不知將軍贊成否？」

「什麼辦法？」蒙恬好奇的問。

「將軍暫時不死，留下向主上申覆，我一死，主上也許會醒悟。」

「蒙恬並不是怕死，而是怕死得糊塗。」蒙恬仍想勸阻扶蘇。

「蒙將軍，我們多年相處，情同兄弟，願不願意陪我走完人生最後一段路程？」扶蘇泰然的笑著問。

「公子是什麼意思？」

「沒有什麼，擺酒爲我送行！」扶蘇從容的笑著說。

「在九泉之下，公子稍候，等我一起同行。假若眞是主上詔命，我們都知道他的脾氣，事情決定就不會更改。」蒙恬也淒然而笑。

從人片刻之間擺好了簡單而精緻的酒菜，兩人相對痛飲。

酒至半酣，扶蘇起身向南拜了三拜，然後盤打開髮髻，以髮覆面，左手拔劍置在喉間，右手則緊握左手，他微笑著向蒙恬說：

「後死責任重，除了代我向父皇謝罪以外，你還得注意，我一死，北邊恐怕會亂，你得好好安撫，收拾殘局！」

「且慢，公子你不能死！」

扶蘇的話提醒了蒙恬，但等到他上前拉時，扶蘇右手用力帶動左手，劍深深切入喉管，一道血箭噴得他滿臉都是。

扶蘇屍體緩緩倒了下去。

5

蒙恬觸景傷情，不免有兔死狐悲的傷感，再想起多年來深厚私誼，忍不住悲從中來，忘記了自己是獨當一面的大軍統帥，抱著扶蘇的屍首痛哭起來。

顏取得到消息趕來，自恃是胡亥親信，又是皇帝使者，大剌剌的見了扶蘇遺體不拜，反而要斬下扶蘇首級覆命。

氣急之下，蒙恬站起身來怒聲一吼，武將到底是武將，別看他平日爾雅俊秀，一派儒生風度，他這一吼，卻是聲徹屋樑，顏取嚇得兩腿發軟。

蒙恬圓睜鳳眼，滿懷憤怒的說：

「你敢！再怎樣說，扶蘇公子乃是主上的長子，賜死乃是他們的家務事，公子並沒有犯下什麼刑法，你是什麼東西，竟敢將公子當作死囚犯處理？」

顏取挨罵，雖然恨在心裡，卻是敢怒不敢言，他只有自己安慰自己說——看你還能橫行到幾時！遲早你還是和扶蘇一樣伏劍自刎，大人不計小人過，我這個前途光明的人，不與你這個活死人一般見識。

迫不得已，顏取以屬下之禮向扶蘇遺體拜了一拜，起來後，未等蒙恬相請，自己坐上了賓席。

蒙恬看都不看他一眼，只是親自爲扶蘇擦拭臉上血跡。從人們整理好遺體，正想抬出去，蒙恬制止他們說：

「且慢，暫時放在那裡，等下連我的一起整理！」

嚇得渾身不舒服的顏取，聽到蒙恬如此，心安了不少。他討好的說：

「下官急於覆命，有得罪之處，還望恕罪！」

蒙恬沒有理他，只顧自己喝酒。

過了一會，顏取又忍不住催促：

「扶蘇公子已奉命自裁，將軍將如何自處？」

「你等得及，就在這裡慢慢的等，等不及就回賓館休息，蒙恬不是不懂事的人，知道貴使者急於覆命。」

原本神氣活現的顏取，經蒙恬一吼，早已失去了驕氣，反而看起蒙恬臉色來。

蒙恬不再言語，只是時而飲酒，時而沉思，有時站起來踱到扶蘇遺體前面徘徊檢視一番，似乎眼中根本沒有這位御使的存在。

不知過了多久，從人慌慌張張來報，王離將軍求見。蒙恬笑著說：

「他來得正好，我剛想派人找他，快請進來！」

王離，三十多歲，四十不到，王翦孫兒，原先跟著蒙武，後來轉到蒙恬部下，積功升至蒙恬的裨將，現在又奉詔取代蒙恬爲獨當一面的統帥，雖然一半是由於他驍勇善戰，但大半是蒙武和蒙恬對他的提攜。

所以，雖然他奉詔代理統帥，臉上卻充滿了悲憤之情，但爲顧及日後相處，他不得不先向顏取見禮，因爲顏取目前是御使，緊接著就是監軍。

王離身高九尺有餘（約爲台尺六尺三寸），濃眉大眼，虎頭燕頷，生得十分威猛。

接著他向蒙恬見禮後就席位，臉上一副著急相，連橫躺在室內陰暗處的扶蘇遺體都沒注意到。

「王將軍，你來得正好，想必御使另外有詔書給你，平日軍備錢糧都是由你在處理，想必交接應該沒有什麼問題。」蒙恬以不經意的口吻說。

「將軍，現在還談什麼交接？」王離虎眼已迸出了眼淚。

他一面說話一面眼睛瞄著顏取，蒙恬明白他有緊急私話要對自己說。他站起身來，指著室內另一端的陰暗處說：

「扶蘇公子的遺體在那邊，你跟我去參拜一下。」

「什麼？扶蘇公子已經自裁？」王離急得哭了出來：「看來，末將還是來晚了一步！」

王離跪下撫屍痛哭，如此高大威猛的老將，哭得滿臉淚涕縱橫，就像個孩子一樣。

看得顏取也暗暗心驚，扶蘇如此得軍心，看來他這個繼位者日子不會好過，何況扶蘇貴爲始皇長子，他只不過是太子胡亥的一個門客而已。他心生懼意，隨之也起了退意，還是藉回去覆命之際，力辭北邊代理護軍這項官職。

這邊蒙恬悄悄問王離，到底發生了什麼事，以致他的神情如此緊張。王離也輕聲回答：

「不知哪裡傳來的消息，說是李斯丞相假傳詔命，要謀害扶蘇公子。」

「扶蘇公子已自裁而死，」蒙恬哽咽著說：「他親自檢視過主上的詔書，蓋有密璽，同時還是主上的親手筆跡。」

「空穴來風，末將查不出謠傳的來源，可是軍心已不穩，要是知道公子已自裁，末將恐怕……」

顏取那邊也在豎著耳朵傾聽，雖然聽不完全，也聽了個大概，他面色變得蒼白，背脊發涼，原先認爲是輕易得來的富貴，如今才明白是個火坑，弄不好這次會將老命賠在這裡。

蒙恬和王離神情沉重的回到席位，正想將目前情況告訴顏取，只見一名中軍匆匆進室來報：

「啓稟將軍，大事不好！」

「什麼事這樣驚惶？」蒙恬叱問。

「眾多軍民將將軍府團團圍住，說是要見扶蘇公子！」

蒙恬轉臉看了看顏取問：

「御使大人要不要同去看看？」

「不要……不要……」顏取連連搖著雙手，聲音發抖。

6

蒙恬和王離帶著侍衛來到府前的望樓上，只見黑壓壓的人群四方八面包圍著將軍府，將整個前門廣場擠得水泄不通。

大多數的民眾都手提燈籠，將廣場照得明亮有如白晝，還有很多執著桐油火把，更加添了群眾的氣勢。

最使蒙恬和王離憂心的是，在四周的陰暗裡，幢幢人影，隱約看得出是眾多兵卒，有騎卒也有步卒，他們和嘈雜的民眾相反，靜靜的佇立，人無聲，馬也無聲，即使有點人的咳嗽和馬的踏蹄聲，也為整個聲音的浪潮掩蓋住了。

蒙恬和王離都是身經百戰的猛將，明白這股沉寂力量的可怕，正如暴風雨要來臨前的寧靜。

「這些士卒是哪個部隊的？」蒙恬大聲問王離，但聲音再大，王離仍然聽不清。

「末將也不知道。」王離大概明白了他的意思，湊近蒙恬的耳朵說。

「這些兵卒最可怕，他們是民眾的支援，也是群眾的先鋒，弄不好，帶頭衝殺進將軍府的會是他們，」蒙恬笑著問：「相信嗎？」

「將軍的話，末將什麼時候不相信過？」王離也笑著回答。

兩人登上望樓，蒙恬對左右說：

「將火把點旺，照清楚我的臉！」

「將軍，這樣太危險，請將軍三思。」侍立在旁的中軍說。

「別多話，照我所說的做！」

幾十根火把點燃起來，將望樓照得通明，蒙恬英俊的臉龐，廣場上的群眾看得一清二楚，「蒙將軍到！」再加上中軍的嗓門大，一聲喊叫，全場突然寂靜下來，這時候才能清晰的聽到陰暗處的馬嘶和踏蹄聲。

接著群眾看清是蒙恬後，全場一陣響雷似的歡呼。

「蒙將軍，我們要見扶蘇公子！」有人帶頭這樣喊。

「我們要見扶蘇公子！」更多的聲音附和。

「蒙將軍，有人說，李斯和趙高聯手要陷害公子和你，你們要小心！」也有人這樣大叫。

「蒙將軍，扶蘇公子現在人在哪裡？爲什麼不讓他出來見我們？」有些人直擊要害的吼叫。

提到扶蘇，蒙恬一陣心酸，眼淚奪眶而出，但他不能讓這些群眾知道，他們熱烈愛戴的扶蘇早已自裁身亡。

蒙恬放大了喉嚨喊著說：

他鎮定一下自己，然後舉雙手要大家安靜，全場也就平靜下來，等候聽他解釋。

「各位父老兄弟，不要聽信謠言，扶蘇公子正在和御使議事，現在請各位散去！」

群眾議論紛紛，嘈雜的聲音就像一群離巢飛舞的蜜蜂，遠處已有民眾漸漸散去。

突然，在陰暗的兵卒堆裡有人高叫：

「蒙將軍的話是安慰你們的，扶蘇公子現在說不定已自裁身亡！」

蒙恬和王離聽到這人的話，全都驚得渾身一震。

蒙恬想起兩人接詔的禮儀是在大廳，想不到消息外洩得如此之快。他大喝一聲說：

「躲在陰暗處說話的是什麼人？爲什麼不敢站出來說話？」

「將軍怎麼連末將的聲音都聽不出來了？」那人哈哈狂笑，隨即又帶著哭聲說：「將軍和公子千萬不要上當！」

隨著說話聲，一名身穿都尉甲冑的人，躍馬衝出陰暗，到達望樓下面群眾的最前面。在火把的照耀下，蒙恬認出他的臉，不免暗暗心驚。

這名都尉不是別人，而是自小跟著他的蒙升，原本是他的小書僮，他到軍中後，跟著他做中軍傳令，南征北討，足智多謀，積功升到了騎卒都尉。

「蒙升，怎麼是你！」蒙恬叱喝：「是你在鼓動？」

「不錯，是末將爲護主所做的不得已之舉，末將不但策動了在這裡的民眾，而且已飛騎傳書，通知了各軍。」

「你知道你這樣做，有多嚴重的後果？」蒙恬又急又氣，但也有幾分感動。

「還有什麼後果比扶蘇公子和你的死更嚴重？」

「不得胡說，扶蘇公子正在和御使談事！」蒙恬已說了謊，只有硬著頭皮說下去。

蒙升仰天哈哈大笑，但笑聲帶著太多的無奈和淒厲，他含著哭聲說道：

「將軍和公子都不應盡愚忠愚孝，有可靠的傳言已傳到各地，始皇帝早已死了，放在轀輬車上的屍體都已發臭，不得不用鮑魚的臭味來遮蓋！」

「你是怎麼知道的？」蒙恬口中如此問，心中卻在盤算，假若始皇已死，他就不必這樣聽話自裁了，這擺明是李斯趙高的陰謀。假若眞是這樣的話，扶蘇眞的死得太冤枉！

「可靠方面的消息，」蒙升回答：「將軍，你想一想，皇帝的座車上怎麼會放惡臭的鮑魚，這不是欲蓋彌彰嗎?李斯和趙高笨得可憐，將軍千萬不要爲了愚忠上當！」

「不管怎麼說，你這樣聚眾鬧事，該當何罪?」蒙恬暗中贊成他，卻不能不說點門面話。

這時群眾已等待得不耐煩，前面一些人開始叫囂：

「我們要見扶蘇公子，見不到我們不會回去！」

後面的群眾不知前面發生了什麼事，聽到前面的人這樣喊，也就跟著喊：

「不錯，見不到扶蘇公子，我們就都不回去！」

群眾的吶喊聲就像大海中的波濤，一波波的由前至後，再由後至前。

「蒙升，你這樣做，惹出大事來，你應該受軍法審判！」蒙恬痛心的說：「趕快帶你的人走，設法要黔首散去！」蒙恬又對蒙升大喊。

群眾聽到蒙恬的吼叫，想知道他在說什麼，突然又安靜下來，在這種時候，寂靜比嘈雜更可怕。

「公子，」蒙升突然改口以昔日稱呼喊蒙恬：「蒙升知道聚眾威脅，罪該處死，但爲了公子你和扶蘇公子，蒙升也顧不了這樣多了，蒙升不需要軍法審判，只望公子不要上當，善自珍重！至於群眾，易發難收，蒙升已管不了！」

說完話，蒙升拔出佩劍自刎而死。

蒙恬一聲驚呼，眼睜睜的看著蒙升屍體從馬背掉下去，他搖搖頭，淚水迷濛了視線，有點惘然。

樓下廣場裡的群眾開始騷動，有人叫罵，也有人用石頭擲砸將軍府大門。

這時候，兩邊陰暗處的騎卒紛紛衝到前面，擋住了人潮，抬起蒙升的屍體。一名軍官模樣的人大聲向蒙恬懇求：

「將軍，你就找扶蘇公子出來安撫一下群眾吧！」

「不，我不能受這種威脅，扶蘇公子也不會受這種威脅，你要維持秩序，驅散這些人！」

蒙恬明白他的話完全是強詞奪理，但他更不敢公佈扶蘇的死訊，不然後果更不可預料。

他沒等那名軍官答話，帶著王離等人下望樓而去，將群眾的吶喊聲、叫罵聲丟在身後。

7

群眾包圍將軍府，數天數夜不去。扶蘇自裁的消息外洩，上郡及別的邊地城市民眾半信半疑，越來越多的群眾聚集在府外。唯一的要求是，他們見到扶蘇就散走，偏偏這就是蒙恬唯一不能滿足他們的要求。

蒙恬不願調派兵馬對付這些民眾，顏取想對付，卻又調不動兵馬。蒙升帶來的那些人反而變成維持秩序的部隊。

最後群眾實在見不到扶蘇，他們要求皇帝使者出來向他們說明，蒙恬再怎樣邀請他，他就是牙齒打顫，兩腿發軟，搖著雙手不肯。

扶蘇已經用上等棺槨裝殮好，就在將軍府白虎堂設置了靈堂，祭以三牲鮮花、時果和香燭。

蒙恬席設棺木右側守靈，數日來未下席，實在倦了，就在席位上打個盹。幾天來，他只飲酒，東西吃得很少。

王離隨時會出現他的身旁，報告一些軍情。

而最害怕的是御使顏取，他來的時候看到情形不對，早已派人回去向始皇再作請示，現在還沒得到回音。

雖然蒙恬為他在府中專設客室款待，並有專人服侍他的飲食起居，但他也是食不知味，睡不安枕，在靈堂陪伴蒙恬的時候居多。

他在等候消息，也是尋求蒙恬和王離的保護，府中上下，無論文武老幼，士卒家僮，全都是對他和他的從人瞪目而視，彷彿隨時會殺掉他們一樣。

連執著戈矛守靈堂的護靈兵卒，看到他們也是兩眼冒著仇恨的火焰，他們經過這些全副甲冑的士卒身邊，還眞是提心吊膽，深怕他們的戈矛會橫下來將他們刺個對穿。

最使顏取膽寒的是每日都有軍使來報，全是些軍心不穩和北邊實邊民眾逃亡的消息。這些軍使說，首先是士卒聽到扶蘇和蒙恬被皇帝賜死的消息，人人都感憤怒，但敢怒不敢言。

接著，另一股傳言像野火一樣燃遍整個軍中——始皇帝早已死了，遺體都已發臭發爛，賜扶蘇公子和蒙將軍死的詔書，乃是胡亥他們所僞造的。

這個傳說迅速在軍中和築城勞工中傳開，就像沸水流進了冰窟，原先完整密不透風的冰窟，立即紛紛出現裂痕，最後支離破碎的解體。

每天都有好幾起使者來報。

來自塞外陽山前哨陣地的軍使告急說——

匈奴大概也得到這個消息，向我陽山陣地發動攻擊，我軍士氣渙散，不肯迎敵。部份退至河南，部份爲了軍法嚴峻，不敢回來，乾脆率部投降當匈奴去了。匈奴單于對這些投降的人特別優待，甚至有一名旅尉，他完整的率五百部下投降，單于將女兒許配了他。

凡是投降的人，單于都賜姓編爲匈奴部落，賜牛羊和家畜，並由投降者自選千夫長、百夫長，儼然一新興匈奴秦種部落。

因此，軍中投往匈奴者大爲增加。

蒙恬聽了大爲感嘆，想不到匈奴進步也快，學會了任囂的安撫政策！

築城總監工部使者來報——

自從這個消息在勞工營傳開後，築城囚犯紛紛暴動逃亡，監衛士卒也都不管，甚至有隨著暴動者逃亡的情形。

主要原因是，扶蘇對眾仁厚，盡量幫勞改犯解決各種問題，比起同樣是在驪山和阿房宮服役的勞改犯，生活和待遇都有天壤之別。至少他們可以吃得飽，監工也不許隨便打人。

他們怕新派來的護軍一改作風，而王離將軍又是個只知道服從上級，沒有什麼擔當的人。

蒙恬每逢聽這類報告，都會搖頭微笑，看看顏取和王離，他們兩人都羞慚得面紅耳赤。

九原郡守使者報告——

在河水沿岸新設的幾十個縣城傳出這個消息後，再加上匈奴收復陰山的戰報，實邊移民紛紛向後撤離，這些人大都是單身，一逃就沒有了蹤影，而拖家帶眷的，全都湧入九原，如今前線還沒有作戰，難民就壅塞了附近幾個縣城和九原市區。

另據執法系統報告——

結夥搶劫及殺人案件近日大幅增加，顯而易見都是這些逃兵和脫逃的勞改犯所幹下的罪行。

顏取每次聽完這些報告，都會惶恐的問蒙恬說：

「蒙將軍，這該怎麼辦？」

蒙恬都會微笑回答說：

「我如今乃待死囚犯，還得看護軍怎麼辦！」

最後，顏取等待的派往始皇處的使者——他一直堅信始皇未死，否則他也早就逃亡了——終於回來了。

使者帶回始皇「親筆」用有密璽的詔書，嚴詞指責扶蘇和蒙恬抗命，並重申立即自裁，否則滅族！

8

蒙恬跪接了詔書後，態度從容的對顏取說：

「我現在雖然已是階下囚，但我仍然有能力反叛，效法前趙國李牧故事，御史大人相信嗎？」

「相信，當然相信！」顏取急忙答應。

「要談到滅族，御史大人得相信，蒙恬已無族可滅！」

「蒙家乃是個大家族。」顏取語帶威脅的說。

「家族雖大，但人丁單薄，而且早料到有這一步，你不相信，可以去找找看，滅族也只能滅一些與蒙家毫不相干的人。」蒙恬臉帶譏刺笑容。

「將軍眞有抗命之心？」顏取惶恐的問。

「扶蘇公子已死，我也不會獨活，」蒙恬淒然的笑著說：「再說，蒙家三代受主上之恩，怎麼會有抗命的行動？」

「將軍明智。」顏取現出寬慰笑容。

「不過……」

「將軍，君子一言，駟馬難追！」顏取又形緊張。

「御史請寬心，蒙恬平生尚沒有說過會反悔的話！不過……」

「不過什麼，將軍？」

「你沒有看見眼前情勢一片混亂，我這隨便一死，你接得下這個爛攤子嗎？」

顏取心頭一震，對蒙恬光明磊落和負責的性格打從心底佩服。他不自禁的避席頓首，連拜了三拜：

「將軍爲國的赤忱忠心，顏某旣感激又崇敬！」

蒙恬連忙起身，親手扶起他來，口中連說：

「這是武將報國的本份。」

蒙恬回到室內換上統帥服，全副黑色甲胄，頭戴雉尾頭盔，鎧甲外面套一件錦繡紅色虎頭戰袍。

蒙恬就在白虎堂扶蘇棺木旁邊升帳議事，王離和顏取分坐兩側。

他首先發出令符，命中軍傳各部都尉到白虎堂。

不到一個時辰工夫，各部領軍都尉和本部重要幕僚全都到齊。

蒙恬首先介紹顏取給各將領認識，然後沉痛的宣佈：

「扶蘇公子已奉主上詔命自裁身亡，本帥也爲待罪之身，將追隨扶蘇公子於地下，如今召集各位來，乃是要盡爲將的最後責任。」

接著他痛責各將領不負責任，任由軍心渙散，他沉重的說：

「假若一、兩個人的死，就能影響到整個軍心，這支部隊稱不上是攻無不克、戰無不勝的節制之師！」

等他訓話完畢，眾將皆感動得伏地流淚。

蒙恬跟著調兵遣將，對所有發生的問題都作了妥善處理——

一、派出軍隊立即收復陽山以南地區及前哨陣地。

二、九原郡守立即疏導難民回鄉。

三、由民間組成警戒線，以軍隊支援，河上邊城許進不許出，抗命者立即處決。

四、向軍中宣佈，扶蘇已死，統帥一職由裨將王離接替，主上並派顏取為護軍，今後全軍交由王離統率。

五、全軍及轄區居民為扶蘇公子服喪一月。

六、追查傳言來源，發現造謠生事查有實證者，斬。

蒙恬調派完畢，又率諸將在扶蘇靈前祭拜上香，諸將無不痛哭流涕。

王離這時說：

「將軍請上坐，受諸將一拜！」

他的話帶有活祭的意味，諸將聽了更加傷感。

蒙恬微笑著並不推辭，就坐席前。王離眞的命侍從點燃香燭，帶領諸將叩拜。

很多將領一拜倒地上就放聲大哭，再也不肯起來，一時哭聲震動整個白虎堂。

「多謝各位，蒙恬生受了！」蒙恬起身將諸將一一親手扶起。有些人哭著緊抱住他不放。

顏取在一旁看了，不僅流淚，而且內心有股逼人太甚的罪惡感，連他也起了懷疑，難道傳言是眞，始皇眞的已死，他來送詔書賜死扶蘇和蒙恬，豈不是爲虎作倀？

再看蒙恬軍上下友愛團結，卻視他有如眼中釘，而他自己雖然讀過不少兵書，但沒有一點實戰經驗，所懂得的軍事，不僅是一點皮毛，而且根本是紙上談兵，受到這些身經百戰的將領排斥，今後的日子不會好過。

他決定乘覆命之便，要求胡亥另外派人。

等到諸將全都奉命離去，這時蒙恬才對王離說：

「府外群眾的情況怎樣？」

「十幾天來，群眾猶在外不散，聲言見不到扶蘇公子絕不走。」王離回答。

「唉，」蒙恬長長嘆了口氣說：「也眞虧了他們對扶蘇公子的厚愛，天氣如此炎熱，大太陽底下，他們也眞受得了！現在讓他們派代表進來見見扶蘇公子。」

9

群眾派了二十多名代表進來，全都是德高望重的地方父老。

他們見到扶蘇的棺槨和靈堂，開始時震驚，神定以後，紛紛上香祭拜，放聲痛哭。祭拜完以後，蒙恬照樣爲他們介紹了顏取，並拿來詔書給他們看。看到父老們群情激憤的樣子，顏取面有愧疚，蒙恬則不能不加以解釋。他說：

「各位父老千萬不能聽信謠言，扶蘇公子和主上親爲父子，而且多年來時有書信往來，他不會不認識父皇的筆跡，更不會笨到爲一封假詔書而自裁。」

「但傳言如今已傳遍天下，不會全是空穴來風，」一位鬢髮皆白的父老說：「而且老朽小犬日前由井陘回來，正好碰著皇帝的車隊經過，據他說，夾道歡迎的民眾和他，都聞到了始皇轀輬車中傳出的惡臭！」

「那是鮑魚味。」顏取插口說。

「這不是笑話嗎？堂堂天子的車駕中放什麼鮑魚？」另一位門牙脫落，牙齒不關風的父老憤憤的說：「就是皇帝喜愛吃鮑魚，也不會放在自己的車中，難過他愛鮑魚味愛到這種程度，豈不是變成了逐臭之夫了！」

顏取很不高興這位父老這樣奚落始皇，但又找不出理由駁斥，當然在這種情形下，更不敢像平日那樣發作，責以批評今上的罪。再說，聽了這些話，他心中的疑團也越來越大。

此時，這些父老紛紛出聲，一致附和：

「不錯，不錯！」

「素聞始皇帝有潔癖，連對宮女每月不潔的味道都甚敏感，因此不准逢到月事的宮人近身服侍，他怎麼會受得了鮑魚味？」另一位父老搖頭晃腦的推敲。

二十多個老人分成幾組，七嘴八舌的議論起來，顏取聽聽都是一些始皇嗜好，宮中秘聞，很多都是他聞所未聞的。眞是謠傳沒有翅膀，飛得卻比捷燕還快，尤其是北邊偏僻，天高皇帝遠，扶蘇治理仁厚，黔首沒有秦國本部及其他各地的壓制言論壓力，有關始皇的傳言更是百無禁忌。

不過由於始皇經營北邊有功，再說他寵愛的幼公主也是北邊人，所以這裡的人對他有一份難言的感情，有時候談起他來，只稱「嬴親家」或「那個咸陽的親家」而不名。

當然有關始皇的傳說，絕大多數都是關懷性的和親切性的，卻也少不了笑謔。

父老們一喝茶聊天，似乎忘了他們來的主要目的，原來哀傷的氣氛也逐漸變了質。

然而，他們閑聊所達成的一個共同結論是：

——始皇帝已死的傳說可能是眞的！

蒙恬最後不得不制止他們閑談爭論，而將談話拉回本題來。他大聲宣佈說：

「蒙恬請各位來的主要目的有兩個，第一個是要各位親眼看到扶蘇公子，並代爲安撫民眾的疑懼；第二個，乃是要各位父老當場見證蒙恬並不是貪生怕死之輩，一直拖延不肯死，乃是怕詔書有誤，如今再接詔書，驗明無誤，也該是蒙恬追隨扶蘇公子於地下的時候了！」

他的話像大拍了一下驚堂木，堂內的空氣頓時凝住，由閑聊傳奇的活潑愉快，一轉爲哀傷沉重。

「怎麼？說了這老半天，你還沒打消死的念頭？」那位牙齒不關風的父老以他特殊風格，含糊不清的語調，表示反對。

「對啊！對啊！年紀輕輕，幫國家也做了不少事，怎麼說死就要死！」旁邊幾位父老齊聲幫腔。

「不能死！不能！」剛才堅持他兒子聞到始皇屍臭的父老說：「我們明明都知道始皇已死的傳聞是眞，那詔書就是假的，爲什麼將軍還要執迷不悟？」

「是啊！是啊！這樣太不値得了！」所有父老一致贊同。

坐在旁邊的顏取，臉上一陣白一陣紅的生悶氣，這些鄉巴佬一點也沒將他這個御史大人放在眼裡，膽敢信口雌黃詛咒主上已死，當著他這個信使的面，說詔書是假的。

但形勢比人強，他本想叱喝，在咸陽說這種話乃是滅門之罪，但想到府外聚集的幾萬民眾，他洩了氣。

一直含笑不語的蒙恬此時說：

「各位父老再要阻止我，就是陷蒙恬於不義了！」

10

蒙恬起身跪倒在扶蘇靈前，脫下頭盔，將髮髻打散覆在臉上，他點燃三支香，插進香爐，拜了三拜後，喃喃祝禱說：

「扶蘇公子英靈不遠，蒙恬追隨公子來了。雖然傳聞甚多，詔書眞假仍有疑問，但蒙恬此時不死，即是不忠不義，亦將使公子蒙上不智之名！」

祭禱完畢，蒙恬向南又拜了三拜，以謝始皇對蒙家三代之恩。

最後他交代王離說：

「儘快安定士氣民心，我死後不必歸葬咸陽。」

正說話間，只見門衛來報：

「不好了，故騎兵都尉蒙升所屬騎兵已攻破府門，衝殺進來！」

這時候蒙恬也顧不得自殺了，披頭散髮來到中門。

王離和顏取緊跟身後，只見眾多騎卒帶頭衝鋒，民眾像潮水似的跟著湧進來。守衛門卒一來是抵擋不住，二來是有意放水，毫不抵抗，一哄而散，連門都不關。

蒙恬帶著侍從，當著庭院中門而立，眾多騎卒紛紛下馬跪伏在地，後面跟來的民眾也全俯伏，口中大聲喊著：

「扶蘇公子已上當而死，蒙將軍不能再上當，始皇帝明明已死，詔書乃李斯等人所僞造，將軍千萬不能上當！」

眾口一聲，有如雷鳴。

有些兵卒和民眾還指著躲在蒙恬身後的顏取罵：

「什麼御史，分明是假的！」

「不錯，不錯，詔書是假的，當然送詔書的使者也肯定是假的。」擁擠在顏取身後的眾父老，反而和前面的群眾一唱一和，眞使顏取哭笑不得。

蒙恬仰天長嘆一聲，向兵卒和民眾說：

「各位同袍兄弟以及鄉親父老兄弟姊妹，你們眞的要陷蒙恬於不義嗎？」

「看樣子，我們總算是趕早了一步，把將軍從鬼門關拉了回來。」一名跪伏在地上的中年人說。

「是啊，是啊，你還沒看到將軍從容就義的樣子，真的使人感動！」蒙恬身後的一位父老說。

「對啊，對啊，可以為你們這些年輕人當典範！」眾多老人齊聲附和。

「都是這個狗御史逼死了扶蘇公子，現在又來逼蒙將軍，兄弟們幹掉他！」有兵卒在人群中喊叫。

「不錯，幹掉他！幹掉他！」諸多兵卒和民眾高聲吶喊相和。

「幹掉他，這個狗信使！」又是一陣吆喝，後面擁擠進來的人不知怎麼回事，盲目的跟著喊。

蒙恬大喝一聲，全場才靜了下來。

他一手執劍，厲聲的喊道：

「蒙恬一日不死，就要維持軍紀，民眾可留下，我軍士卒立刻退出，違令者斬！」

他又回頭呼喚：

「王將軍！」

「末將在！」王離肅立聽命。

「校刀手何在？」蒙恬大聲問：「軍正聽令！」

「末將在！」頭帶奇獸獬冠、象徵執法公正的軍正，躬身答應。

「速帶兩百名校刀手，遇著在場士卒，驅逐出場，違抗者立斬！」蒙恬雖然是散髮覆面，待死之身，但發號施令仍然有一股大將的威凜。

在人群中的騎卒，此時連馬都不要了，紛紛擠出人群，府外兵卒聽到蒙恬下了這道嚴格命令，全都跨上馬，一溜煙的跑了。

軍正帶著兩百校刀手巡視各處，回報兵卒都已離開全場。蒙恬淒然一笑的說：

「蒙恬本想奉詔自裁於扶蘇公子靈前，讓各位父老代表見證蒙恬並非貪生怕死之輩……」

「將軍要是算貪生怕死，那我們都算是苟且偷生了！」人群中有人大喊：「將軍不能死！」

眾人相和，聲震府內外。

「那就讓各位爲蒙恬作見證吧！」蒙恬回手即要自刎。

這次反而是顏取雙手拉住阻止，一面示意要王離奪下蒙恬寶劍。

「御史大人，你這又是做什麼？」蒙恬問。

顏取兩眼含淚的說：

「黔首愛戴將軍之情令在下感動，再說，將軍應顧全大局，將軍一死，北邊情勢危矣！」

「那御史準備如何處置犯官？」蒙恬微笑的問。

「暫且易地安置，在下這次回咸陽覆命，一定會代將軍向主上說情，而且請求另行派人監軍。」

蒙恬垂頭嘆氣不再言語。

民眾全都向顏取叩頭致謝。

過了數日，顏取將蒙恬移至陽周囚禁，他自己急忙回咸陽等候始皇回駕。

但等到胡亥回到咸陽，他接到的消息卻是始皇駕崩，明令發喪，胡亥太子立爲二世皇帝。

他到此才完全明白，傳言果然非空穴來風。

同時，囚禁在陽周的蒙恬，除了也聽到這個消息外，還得知蒙毅在祭禱山川回程途中，在代州遭到逮捕。

他知道蒙家這下是完了！

第29章

指鹿爲馬

1

三十七年八月，始皇車駕經由九原，從直道至咸陽，發喪，太子胡亥繼位，號爲二世皇帝，九月，葬始皇於驪山。

十月改元，爲二世皇帝元年，胡亥年二十一歲。大赦罪人，李斯仍爲丞相，趙高爲郎中令。胡亥年少貪玩，不理政事，多爲趙高代行，朝中大權實際落在趙高之手。

元年十月，二世下詔：

「始皇帝功過三皇，德超五帝，寢廟祭牲及山川百祀，應將始皇列入，並增重其禮，故令群臣議立始皇專廟。」

群臣商議結果，推派李斯和趙高領奏，大意是：

「古時天子有七廟，諸侯五廟，大夫三廟，雖萬世更替，廟卻不能毀。如今應單獨增加始皇一廟，稱之爲極廟，四海之內各郡縣都必須按時進貢，派人供職，祭祀用犧牲，一定要超過所有前王，而且禮數要更加完備。秦國諸先王廟，有的設在西雍，有的設在咸陽，今後天子只要在始皇廟祭祀即可。」

二世皇帝聽了非常高興，准了這項建議。

始皇葬禮及覆土，再加上建始皇廟，全都是浩大工程，征用徭役及材料無數，黔首叫苦連天。

等到始皇棺槨入穴，趙高爲了整肅宮中異己者和敲詐錢財，提出了一項奇特而又殘酷的建議。

在準備覆土尚未開始的前幾天，趙高啓奏二世說：

「始皇陵墓範圍既大，內裡宮室和地上宮殿一樣，而且從前六國擄獲來的奇珍異寶，大都陪葬地下，其中雖然設置了機關弩矢，可以防止盜墓者的闖入，但這些機關都是工匠所設置，或本身起盜心，或無意間洩漏了機密，都會危害到始皇陵墓的安全。因此臣建議，封穴覆土之際，所有知道機密的官員、監工、工匠及勞改犯，全部封埋在墓穴之內。」

二世未問任何理由，予以批准。

接著趙高又上了第二道奏簡：

「後宮始皇御幸過的妃嬪宮人不下數百，有子者固應留在宮中，按照規定，無子宮人三年應從志願出宮，但經過始皇御幸過的，再嫁實在不太合適，應該全部用作殉葬。」

自周以來，賢王爲了殉葬禮俗太過殘忍，多半已改爲用陶俑陪葬，趙高這項建議是對宮中來個大掃除。

因爲凡是受始皇御幸過的女人，不管得寵與否，身份就與一般宮人不一樣，她們自命是「主母」身份，當然不會向趙高賣帳。特別是那些年輕貌美又沒生過孩子的女人，當然特別受始皇寵愛，對趙高更是不看在眼中。

趙高這項建議正是針對這些恃寵而驕，常給他氣受的女人而來。

這兩項建議對趙高來說，還有一種極具經濟效益的附加價值，因爲二世授權他全權辦理，只要他大筆一揮，說誰該殉葬就該誰，他並要心腹傳出風聲，只要有錢就可以買命。

這兩類要殉葬的人，在事先都遭到囚禁，美其名爲優待保護，得到消息的家人和親朋，莫不極力設法營救。

於是趙高府中門庭若市，這次發的財比上次炒地皮還要來得多。

剩下一些平日與趙高不合，或是寧死也不願向他屈膝，或是實在沒有錢可以贖命的人，數目仍然不少；應陪葬的宮人逾百，該殉葬的官員、監工、工匠和勞改犯，總計超過五千人。

這兩種人的殉葬，分成兩種截然不同的方式舉行，宮人是在白天以公開儀式送進陵墓，而後者則是在一個月黑風高的夜裡押進陵墓，將陵墓外的石門封死，全部活活的窒息在裡面。

2

趙高當然忘不掉尙分別囚禁在陽周和代城的蒙恬兄弟，他一再上奏，應該早日加以處決。胡亥對蒙家總有那麼一份感情，再加上幼公主從旁說情，胡亥有了釋放蒙恬兄弟之心，趙高大爲緊張。

那天，趙高在下朝後對李斯說：

「如今大事已定，丞相侯位將世世代代勿替的子子孫孫傳下去。」

「這都是趙大人的協助。」李斯回答。

現在李斯見到趙高心中所存的那種壓迫感，隨著趙高的擴張權力，是越來越沉重了。不錯，趙高目前還遵守兩人事前的約定，趙高管宮內，李斯管外府，但他發現到趙高控制了二世，就等於控制了他這個丞相和全國。

趙高對他態度越和藹恭順，他越感到膽戰心驚。

「丞相志得意滿之際，可曾記得一項心腹之患？」趙高瞇起一雙鼠眼作鷺鷥笑。

「什麼心腹之患？」突如其來的話，李斯一時會不過意來。

「在陽周的蒙恬，在代城的蒙毅！」

「哦！」李斯沉默不語。

說實話，李斯並不想殺蒙恬兄弟，反而覺得留著他們可以牽制趙高，到底他和蒙恬兄弟才是同類。

「前次我幫丞相除去扶蘇，丞相得長居丞相位，並爲子子孫孫保住通侯爵位，這次丞相應該協同我永除這項心頭之患。」趙高見他沉默，索性點破了說。

「以郎中令和皇帝如此親近尙不能說服，老夫隔著一層，說話能夠有效嗎？」李斯明爲捧趙高，實際上乃是推辭之語。

「當然，以丞相一人的話，不會比趙高有效，」趙高居然當之無愧的說：「但合兩人之力，效果就足夠說服主上了。」

「那要如何說法？」李斯怕再說下去趙高會翻臉，不得不應付。

「主上如今想釋放蒙恬兄弟，主要是由於眾大臣和幼公主的反對，而蒙恬擁兵卻沒有反叛，使得主上懷念舊日情份。他始終認爲蒙恬兄弟是人才，始皇在世時也一再向他提起，他們是他留給他的宰相和將軍之材，希望他能善加珍惜運用，」趙高說到這裡頓了一頓：「留得蒙恬兄弟在，丞相的位置遲早是蒙毅的！」

「老夫老矣，不能當一輩子丞相，當然遲早會交給年輕人。」李斯嘆口氣說。

「但丞相不要忘記，通侯之位世代勿替，卻是趙高為你爭取來的，」趙高按捺著不滿，反作鷺鷥笑：「更不要忘了，沙丘之謀，蒙恬兄弟早已察覺！」

李斯呆了一下，又長嘆一口氣說：

「老夫但聽趙大人的！」

「據我所知，主上最恨別人說始皇該立扶蘇不應立他。」

「眞的是這樣嗎？」李斯聽得心頭一震，趙高也知道當初他反對立胡亥的事。

「所以，我們只要加蒙恬兄弟這個罪名，主上一定會將蒙恬兄弟治罪。」

「趙大人沒向主上提過這件事？」李斯吞吞吐吐的說：「據老夫所知，蒙恬兄弟好像沒有公開反對過。」

「這種事始皇不會問我，所以由我向主上講，主上恐怕不會相信。你是丞相，在這方面說話比我有力量，再說，欲加之罪，何患無辭，丞相說他曾反對過，他就是反對過，而且以他們兄弟和扶蘇的交情，這樣說也合情合理，誰都會相信。」

趙高瞇著眼睛，注視著李斯等他答覆。

「好吧，」李斯無奈的說：「什麼時候覲見主上？」

「我趙高見主上還要等待什麼時候？」趙高狂妄的笑著說：「現在就隨我去！」

趙高帶著李斯去見二世的時候，二世正在抱著女人喝酒。天氣雖然已是嚴冬，但室中壁爐生著熊熊炭火，二世和女人們都穿得極爲單薄，這些女人更是只身裹薄紗，曲線玲瓏，凸凹分明。

二世左擁右抱，周圍還圍著一大堆女人，有的爲他搥背按摩，有的用櫻桃小口餵酒給他喝。

他本人的手脚和嘴巴也一直沒空閑過，東摸摸，西捏捏，左咬右咬，碰到的全是香滑脂膩的肉。

他常感嘆，父皇眞傻，整天只知埋首奏簡傷腦筋，說什麼爲黔首謀福利，爲生民開萬世太平，一勞永逸，犧牲這一代，永久造福後世千萬代，到頭來爲天下百姓埋怨。

父皇眞笨，不知道女人如美酒，要一小口一小口的聞著香味，然後一點一點的吞下去，讓口中隨時充滿甘醇芳香。

父皇玩女人，就像喝開水，只是爲了解渴，完全未體會到眞正的女人味道，就像有些人將上好美酒拿來牛飲，喝完就沉醉如泥，這怎麼算得上懂得品酒？怎麼說得上懂得欣賞女人！

正當他對女人們大發這些妙論時，忽然近侍來報：

「丞相李斯和郎中令趙高求見！」

聽到李斯，二世皇帝皺起眉頭喃喃的罵著：

「這個老傢伙這時候來幹什麼？趙高也真是的，他一個人來，還可以陪朕喝幾口酒，哼幾闋趙地小調給朕和美人們聽聽，帶李斯來幹什麼！」

女人們一聽到丞相老頭到，全都拿著衣裳，掩住暴露部份，嬉笑驚叫的跑了。

二世用袖子擦擦嘴邊殘酒，整理了一下衣冠，極端不耐的對近侍說：

「宣！」

近侍走到門口大聲喊叫：

「主上宣丞相李斯及郎中令趙高覲見！」

李斯和趙高行禮完畢就席落座，李斯看到二世醉眼惺忪，聞到室內瀰漫不散的女人香味，明白自己來得不是時候，但既來之則安之，而且還不能不說上幾句勸諫的話，以示他的忠誠。於是他委婉的說道：

「陛下年富春秋，喝多了酒會傷身體。」

「嗯，」二世不耐的哼了哼，不答李斯的話，反而轉向趙高問：「老師帶丞相這種時候來，是否有什麼緊急要事？」

「正是。」趙高對二世沒有李斯那樣畏縮。

「什麼事？」二世驚奇的問。

「據北邊傳聞，王離軍軍心不穩！」趙高有意加重語氣。

「蒙恬已被囚禁，事情不是已平定了嗎？」二世有點恐懼。

趙高不答話，卻以目向李斯示意，催他說話。

李斯只得硬起頭皮說：

「事情雖已暫時平定，但蒙恬在軍中的影響力太大，而且扶蘇公子奉詔自裁，他卻一再要求申辯，可見他早就懷疑沙丘之謀。」

「管它什麼沙丘不沙丘之謀，」二世哈哈大笑說：「如今朕已是二世皇帝，任何人再也無法否認，何況扶蘇已死，將他們兄弟再囚禁一段時間，他們自然會爲朕所用。父皇在生時常交代朕，他們兄弟都是將相之材，要朕善加珍惜運用。」

趙高先前對他所說的話，現在經由二世親口證實，李斯聽了暗暗心驚，看樣子非除去這兩個人不可了，否則哪還有他李斯在朝中生存的餘地？於是他硬起心腸說謊：

「陛下，蒙恬兄弟向來仇恨陛下，絕不會爲陛下所用！」

「爲什麼？」二世帶點不相信的口吻。

「老臣親耳聽到先皇問蒙毅，立太子該立誰，蒙毅回答應立扶蘇。先皇又問立陛下你不好嗎？蒙毅的答覆很難聽，老臣不敢照述。」

「說，你只是轉述蒙毅的話，朕不會怪你！」

李斯越是不說，二世越好奇。

「他說……」李斯欲言又止。

「快說！他說什麼？」二世明知不是好話，怒氣已漸漸堆積。

「陛下請恕老臣罪，老臣就照實轉述了，」李斯欲擒故縱：「他說陛下頑劣成性，好色貪杯，同時，同時……」

「同時什麼？」二世聲色俱厲。

「同時……他說陛下才智資質都屬平庸，絕成不了一個好皇帝！」李斯遲疑了一下，也是因爲他要爭取點時間，對二世下最中肯的評語。本來他想用「低劣」兩個字，但他怕太嚴重，二世眞會遷怒到他這個「轉述」話的人。

「氣死我也！」

二世起立大叫，雙手一揮，席上玉盤玉杯乒乒乓乓跌碎一地。

這種暴怒的脾氣倒確實像他父親。

躲在鄰室的這些女人，不知發生了什麼事，全都驚惶的貼著隔門聽。

「殺了他們！殺了他們！」

二世憤怒高叫起來，聲音也像極始皇，現出狼音豺聲。

4

胡亥聽了李斯的話，就再聽不進任何人的諫言。

幼公主見數諫不聽，甚至出動了二世最喜歡的姪子公子嬰要來說服。

公子嬰比二世小不了幾歲，但少年老成，喜讀書，頗有才智，始皇在世時，也非常喜愛這個孫兒，有意拉近他們的距離，希望能在胡亥繼位後，以他的才幹輔佐胡亥。奇怪的是，他倆性情完全不同，胡亥卻凡事都肯聽他的。

公子嬰身高八尺，龍眉鳳眼，年紀雖輕，卻有帝王風采，始皇常開玩笑，爲了這個孫兒的長相，他實在應立子嬰父親爲太子。

公子嬰勸諫二世說：

「古來君主聽信讒言的，沒有一個有好下場。故趙王遷殺其良將李牧而用顏聚，燕王喜用荊軻之謀而背秦之約，齊王建用后勝之議殺故世忠臣，這三位君主都是因聽信奸人之言，失國遭禍。蒙家兄弟為秦的大臣謀士，陛下想誅殺，臣期期以為不可。誅殺忠臣而立無節行的人，會使得內臣灰心而在外將士心生離意！」

他所謂的無節行的人，當然意指李斯和趙高。

但胡亥不聽，派遣御史曲宮赴代，傳詔蒙毅說：

「先皇本來準備立朕為太子，你反對而口吐不實誣蔑的批評，丞相認為你不忠，應該滅族，朕念在你先世忠良，實在不忍，乃賜你死，這也算對你寬厚了，希望你好自為之！」

蒙毅向使者說：

「先皇冊立太子乃國家大事，只會要群臣議論，絕不會私下問某個臣子。何況今上為皇后唯一嫡子，最受先皇寵愛，先皇走到哪裡就帶到哪裡，就像最後一次巡行，先皇二十多個兒子一個不帶，只帶今上一人，明眼人一看就會明白先皇的意思，蒙毅再笨，也不會笨得違背先皇的心意，而對今上亂加妄言批評。」

「這個本御史可管不著，」曲宮冷冷的說：「我只是奉命來監督你自裁的！」

蒙毅又嘆口氣說：

「昭襄王殺武安君白起，楚平王殺伍奢，吳王夫差殺伍子胥，這三位君主都是犯下了殺忠良的大罪，所以至今天下人都認爲是大失策，最後的結果都是導致禍身殃國！希望大夫明瞭這一點。」

曲宮雖然聽得動容，但二世來時交代，不管蒙毅怎麼說，就是要把他的頭帶回來。於是他誠懇的對蒙毅說：

「廷尉執法這麼多年，應該知道秦法的嚴峻，再多說也無益，不過本官會將廷尉這番話帶回去轉奏主上。」

蒙毅嘆口氣說：

「在下的本意也只如此，並不是想用辯口來活命！」

說完話，蒙毅拔出佩劍自刎而死。

曲宮命人割下首級，帶回咸陽覆命。

5

二世另外又派使者到達陽周，轉告二世的詔命說：

「你犯的過已經夠多了，現在你的兄弟蒙毅又犯下欺君大罪，連累到內史你，這次內史還是認命，善以自處！」

蒙恬從容的笑著說：

「前次在上郡我就有了死的準備，但爲了平民怨安軍心，才自願改爲囚禁於此，不過，蒙恬在死前有些話要向使者稟明，希望使者代爲轉奏。」

使者聽了面有難色的說：

「前次使者顏取爲內史求情，現已獲罪，丞相和郎中令向主上奏劾，說他懦弱無能，未能達成使命。有辱主上或丞相的話，在下不敢轉奏。」

蒙恬見這位使者年輕卻老實，不忍心再爲難他，因此仍然微笑著指點他：

「你這次來是要帶蒙恬的首級覆命？」

「正是。」這位年輕使者爲他一言道破心事，不禁有點臉紅起來。

「放心，這裡是陽周，不會再有軍民來阻攔，即使是有，我也一定會自刎將首級交給你。」

「多謝將軍。」

「那能不能轉告在下的話給主上？」

「將軍，請讓在下自己選擇，能轉奏者轉奏，不能轉奏者省略掉如何？」使者坦白得很。

「使者這樣說，我就完全放心了，你一定會將話帶到。」

「將軍請說。」

「讓我先說個故事給你聽。」蒙恬閑情逸致的說。

「將軍！」使者高呼：「臨死依然如此閑雅，眞神人也！只是在下不能轉奏主上，豈不是浪費了將軍此刻這樣寶貴的時間？」

「不然，」蒙恬笑著說：「主上最喜歡聽故事了，假若你覆命時，主上問你在下有什麼遺言，你就說我跟你講了一個故事，即使你不想轉奏，主上也會逼你說出。」

「眞的？」使者半信半疑：「請講。」

「以前周公輔佐成王時，周成王尙在襁褓之中，周公旦擔任攝政，每天都背負著成王上朝，最後天下乃大定。成王小時有病，周公自己將手指甲剪下來沉於河水而祭禱說：『王還小，根本不懂事，政務全由旦代爲處理，假若有什麼罪過，理應由旦來承當災禍。』這件事由史官記錄藏在記府，這是可以查考的。等到成王長大，能夠自己親政時，有人向他進讒言說：『周公旦早就想作亂了，假若陛下不早作防範，恐怕會有大事發生。』成王一聽大怒，周公旦爲了避禍逃到楚地。後來成王在記府看到這段記事，感動得流淚說：『誰說周公會造反？』於是殺了進讒言者，而迎接周公返回國都。」

使者亦深爲感動的說：

「主上不問起，在下亦會轉奏這段故事。」

蒙恬又長嘆一口氣說：

「我說這些話並不是求脫罪，而是希望能因我的死使主上有所反省，以爲萬民造福。」

「將軍所言甚對，但在下只是奉命執法，不敢想及其他。」使者有催促的意思。

「自吾先人至於子孫，積功講信在秦三世了，如今我將兵三十萬，雖然身被囚禁，但是說反立刻可反，使者相信嗎？」蒙恬注視使者說。

「相信，相信，當然相信，」使者連忙搖動雙手：「將軍千萬不能這樣！」

「要做早做了，不會等到今天！」蒙恬長嘆：「我何罪於天，爲什麼要無過受罰而死？」

使者在一旁不敢作聲。

很久，很久，他才緩慢的說道：

「築長城，自臨洮至遼東，城塹萬餘里，其中免不掉會斷絕地脈，也許這就是我得罪於天的過錯吧！」

說完話，他自袖口取出毒藥吞了下去。

6

二世在宮內玩女人遊戲生厭，酒池肉林，索然無趣，他有天閑得無聊，煩悶的向趙高說：

「朕年少立位，黔首都未能信服，先帝巡行各郡縣，表現了聲威，使得海內懷德而畏威，朕如今只待在宮中不外出，顯得德威都差先帝一大截，無法使黔首信服。」

「陛下想顯聲威還不簡單嗎？」趙高笑著說：「只要再循先帝巡行路線走一遍，在先帝立的碑上面加刻一筆，陛下的聲名就跟先帝一樣威盛了。」

「這倒是個好主意，」二世聞言大喜說：「那你會同李斯丞相準備出巡事項，準備好就立即出發。」

趙高知會了李斯，商議的結果，決定按始皇舊日路線，車隊照舊時編制出巡，李斯、趙高等大臣從。

一路向東，經過原趙、齊等地，由海南下至會稽，二世舊地重遊，上次只是有無皆可的小配角，這次卻是所到之處萬目所視、眾口所論的焦點，感受當然與前大爲不同，想法也就不一樣。

但二世發現，巡行並不是件好玩的事，除了車船勞頓以外，又要應酬地方父老和意見領袖人物，還要接見官員，解決一些政務上的難題，煩都將人煩死了。雖然凡事都有李斯代爲出面處理，他卻不能不裝出微笑，或是肅容端坐待在現場，聽一些雞毛蒜皮民間自認爲大事的小問題，不懂裝懂，叱責一些失職的地方官員。

最討厭的是，爲了表示和父親一樣開明親民，他每到一處稍大都邑，都會接受民眾陳情，但這些人說的方言，十句中他只懂兩句，就是話語曉得，陳情的內容他也無法懂，因爲他對一般的風俗民情都茫然無知。因此他無法解答這些陳情事件，有時勉強解答，也是牛頭不對馬嘴，將陳情人都弄糊塗了。

看人擔担不吃力，他只看到當日父親在會稽表現的神采，書案前跪著數十人，父親同時問十多個人的話，手上還在不斷書寫，眞的是夠威風夠刺激，但是輪到他來，單獨一個陳情人又哭又喊，又是下跪叩頭流血，就會使得他驚慌失措。

最後，陳情的事只有完全交由御史大夫嬴德處理。

民眾對這位年輕俊美的皇帝，開始時抱著很大希望，他們都認爲快「變天」了。這位新皇帝臉上沒有他父親那股陰沉肅殺之氣，應該是個仁德寬厚之君，但經過多次接觸後，才發現他只是個「繡花枕頭」，外表華麗，裡面塞的全是稻草。

眾隨駕大臣原先因二世深居宮中，很少和群臣接觸，眾臣對他多少有點神祕意味的敬畏，但這次隨行，看清楚他只是個傀儡，被趙高玩弄於股掌之上，他們除了擔心以後，對二世也起了輕視之心，凡事對二世反而不如對李斯和趙高順從恭謹。

二世發現到這點，常向趙高發怨言，趙高更加得意，對他的抱怨一笑置之。

最大的後遺症是，因這次出巡顯露出二世的愚蠢無能，引發了趙高蟄伏已久的異志。

趙高在內心中常以和始皇同年同月同日同時生爲傲。他一直在想，始皇既然貴爲開國的天下之主，他至少也應封王侯。

帝太后將他閹掉，使他失去這項雄心；男性器官被去掉以後，他對爲侯爲王完全絕望，一心一意只想找機會對嬴家子孫行報復。但始皇在世時，連這方面的事他都不敢痴心妄想。

因爲，不知爲什麼，在始皇面前，他只能做一條忠狗。始皇一怒，他就渾身顫抖；始皇稍加顏色，他就會打從內心感激得流淚，這不完全是裝出來的，眞實成份居多。

始皇有股控制他身心意志的魔力！

現在這項魔咒已隨著始皇的死而解去，他已是個自由人。

如今蟄伏心中已久的野心蠢蠢欲動，就像驚蟄季節第一聲春雷響後，在泥土下急欲出頭的冬眠動物！

7

巡行到會稽原吳地時，有齊人蒯通求見，自言少時曾得異人傳授，精通易理及相人之術。

蒯通來得正是時候，趙高大喜，立即接見，迎入賓館密室。

兩人行完賓主之禮，各自就席落座後，趙高首先問道：

「蒯先生此來，有何見教？」

蒯通不說話，先看了看室內侍僕，趙高明白他的意思，向左右宣佈說：

「這裡不用伺候了，沒有吩咐不准接近！」

左右退出以後，趙高笑著對蒯通說：

「這間密室聲音再大也不會外洩，先生可以暢所欲言，不必有什麼顧忌。」

蒯通打量著趙高，趙高也仔細的先爲蒯通「看相」。

只見蒯通身高八尺有餘，四十多歲，相貌淸奇，舉止瀟灑飄逸，的確有股仙風道骨的韻味，先聲奪人，趙高就有了信服之心。最後他忍不住又催問說：

「先生不遠千里，風塵僕僕要見在下，還望不吝指教。」

「果然如我所料！」蒯通不答趙高問話，反而先自讚嘆起來。

「先生所料爲何？」趙高好奇的問。

「先師授業時，曾對通說過，當時尙是秦王的始皇，生辰八字爲有歷史以來的最大奇數，正月正日正時生，理當成爲統一天下，爲萬世開太平的明主，爾後果然證實其言。始皇一統四海，開疆闢土，成爲歷史上版圖最大的眞正獨掌實權的君主，這是不爭的事實。」

「不錯，不錯。」只要提到始皇，那股魔咒的威力又出現了，趙高端坐肅容，連聲稱是，但是心裡卻老大不高興，老遠跑來找他，要談的卻是始皇！

但聽到蒯通又說：

「在下前不久才知道一件大事！」

「哦，什麼大事？」趙高揷口問。

「郎中令大人你是和始皇同年同月同日同時生！」

「不錯！」趙高傲然的回答，但接著又緊張的問：「這怎麼會是件大事？」

「具有這種生辰八字者乃是開國天下之主，怎麼不是件大事？」蒯通興奮的說：「大人想想看，一生下地就受到普天下同慶，這是多可貴的天命！」

雖然明知密室內外無人，但趙高一陣緊張，仍然以手指唇作了一個禁聲手勢，親自起立巡視室外，然後再緊閉室門回座。他故作姿態的正色說道：

「先生，這乃是滅門大事，不是隨便說得的！」

「那在下告退了。」蒯通起立欲行。

趙高連忙起立，雙手將蒯通按住：

「先生眞的以趙高爲愚魯，不肯賜教？」

「在下素聞郎中令足智多謀，氣魄超人，才不辭勞累，千里迢迢趕來，想不到大人如此畏首畏尾！」蒯通氣憤的說，音量並未放小。

「先生錯怪了，」趙高陪笑著，就在蒯通席位對面坐下：「求先生賜教！」

蒯通注目細細的看了一遍他的臉相，然後要他站起來走幾步轉身，看看他的背，最後請趙高復座。

「先生看到些什麼？」趙高迫不及待的問。

蒯通長嘆一口氣說：

「相君之面，不過丞相，相君之背，貴不可言，只是可惜了一點！」

「哪點可惜？」趙高身爲閹人的自卑感又來了。

「大人生於子時上半時還是下半時？」蒯通不答反問。

「下半時。」趙高說。

「那就無妨了！」蒯通臉上充滿喜悅和興奮，他微閉雙目，搖頭晃腦的說：「始皇生於子時頭，時性屬陽，大人生於子時下半，時性屬陰，天時運行，陰陽交替，莫非……莫非……」他不再說下去。

「先生！」趙高只叫了一聲，卻再也說不下去，因爲他想起被閹，一切雄心壯志全付諸大海，儘管權勢超過所有的人，仍然不能納入正流。他又喜又悲，聲音哽塞，眼淚竟然湧出，滴到臉上。

「大人，不妨，在下說不妨就是不妨，」蒯通暗示的安慰他說：「帝王本屬絕對陽剛之命，大人本來陰性時辰還有妨礙，但少去那一點後，以陰滋陰，歪打正著，本來只是丞相命，現在非做帝王不可了！」

「眞的？」趙高聞言狂喜。

蒯通避席頓首，緩緩言道：

「始皇陽剛之氣太盛，流於剛愎而不自覺。大人乃屬於陰陽性人，故可陰陽調和，在下爲天下生民慶賀。」

接著兩人又說了一些陰陽命理及政務刑名，趙高發現蒯通眞是人如其名，不但上通天文下知地理，而且兵法獄政無一不通。

趙高深感敬佩，不禁起了攬才之意，他懇切的要求：

「先生留下幫我！」

蒯通微笑，緩緩搖頭：

「在下是爲天下生民求明主而來，並不是爲本人謀求一官半職。」

「先生留下幫我！」趙高又再重複一遍：「我也是爲天下生民代求先生。」

「在下閑雲野鶴性情，閑散慣了，不慣拘束。」

「先生可居任何職務，趙高一定視之爲師，視之爲友！」趙高又再懇求。

「相君之面，阻礙雖多，但這些阻礙人物去除掉，自有賢士能人來助你成功大業，就如同淘盡石沙，金子自會出現。」

「那留下長談一夜如何？趙高應當設宴款待，以謝先生指點。」趙高談興未盡。

「也不需要了，宜談則談，言盡則止，再談下去反而變成多話了。」蒯通微笑拒絕。說走就走，蒯通起立告辭，趙高親自送到大門口。蒯通行禮告別時，意味深長的說了一句：

「再見之日，當在咸陽朝殿！」

趙高目送蒯通行雲流水般的瀟脫背影，心中爽然若失。

8

送走蒯通以後，趙高一個人又回到密室，興奮得無法靜坐，在室內走來走去。他不斷在心裡想——

看來這是天意，也是我命中注定的，帝太后大概也知道我趙高的命好，所以心狠手辣，想用去勢來破解，想不到歪打正著，正好成全了我！這是她萬萬想不到的吧？

正月正日正時生，命中注定要開天下風氣之先，我趙高就創下一個閹人——不，這個名字太難聽了，今後我要命令宮中人稱宦者為公公，一般官員民眾應稱呼太監——當皇帝的先例。

不過將來傳位怎麼辦呢？我總不能當個絕代皇帝，當然我也絕不會自稱秦三世，開玩笑，秦三世，那不是比胡亥還小了一輩！事成一定要改朝換代，國號到時候再說罷！

那我要傳給誰呢？我沒有兒子。而且永遠不會生兒子，對了，可以傳給女婿，我那心愛的乾女婿閻樂就不壞，不但生得一表人才，而且才幹也是上選，目前雖僅是個咸陽令，當太子當皇帝還是夠材料的。

今後是否應該調整一下職務？嗯，還是不動的好，咸陽令掌管京城軍政事務，還有縣卒可以調配，想辦法擴大縣卒的編制才是。

再不然傳弟趙成也可以，兄終弟及，也是正規道理。

蒯通眞是奇人，一眼就看穿了我的心意，他看相準，說話也有道理。

他說我前途有重重障礙需要掃除，嗯，讓我一一記下來，看看應當如何著手。

於是他坐到書案前面，一面想一面用筆記。

首先他要翦除的是胡亥的基本黨羽——同父異母的二十多個公子和十多個公主，尤其是那個鬼靈精的幼公主。

要用的辦法是：讓胡亥自己動手，他趙高不但不出手，而且還要在中間當好人。

其次是這些宗室大臣，這些人不整死也罷，逼他們放棄軍權和政治上的權力。假若他們緊抓住權力不放，那就莫怪他趙高做事太絕，要他們的命，再不然，滅他們的族！

下一步則是要先整掉這些老臣，包括李斯，馮劫，馮去疾。

這些人不除，他趙高永遠無法成事，眼前他們雖然和他同夥，但他們是忠於嬴秦的，而且在他們心底根本就看不起他趙高，他當然無法和他們共同舉事。

然後是外面的這些郡縣令尉監，他要一一過濾，反對他而親扶蘇的死硬派，全部加上罪名予以誅殺，中立派暫時留任，試行爭取，再多派些自己的心腹。

對了，蒙毅伏法，廷尉一職還是空著的，由他自己兼是再合適沒有了，這要胡亥直接下詔，免得經過廷議討論，說不定又會出毛病。

然後，再然後，胡亥將成爲一隻羽毛被拔光而失巢的小鳥，他趙高是凌空飛行的老鷹，他要吞食他，他想逃想躲，都飛不起而無處可逃。

「哈哈！哈哈！」趙高想學始皇的豪邁大笑，但怎樣努力，卻發不出狼音豺聲，最後還是像鷺鷥叫。

9

那邊蒯通告辭趙高以後，行雲流水般穿行在市井人群中，當他走出東門不遠，一家小酒肆中走出一位年輕俊秀儒生，老遠就喊著說：

「蒯先生，等得太久，我眞擔心你會出事！」

這位儒生不是別人，赫然是張良。

「酒樓不是談話之所，」蒯通說：「不如買點酒菜，到江邊伍子胥祠去談個痛快。」

張良笑著舉起手上大包小包酒菜說：

「我早算到先生會有此建議，看，一切都準備好了。」

「眞是算盡人意張子房，賢弟，我服了你！」

兩人先以酒菜拜了拜伍子胥神主，算是見過主人，然後關上祠門，兩人相對席地而坐，時值早春，江南地方猶寒，他們找出一些廢木，生起一堆火，飲酒吃菜，好不快活。

張良首先問了一些蒯通見趙高的情形，聽到最後趙高心動，張良跪起，向蒯通叩首說：

「良代天下百姓感謝先生！」

蒯通連忙扶起張良，裝作不快的說道：

「賢弟這樣豈不是太見外了！」

「不然，」張良一邊坐下一邊說：「入毒蛇之窟，與蛇謀皮，先生的膽識無人能及，張良一拜，除了代天下生民致謝外，也表示對先生的佩服。」

「別人要我去，可能我眞的還不敢去，算盡人意張子房要我去，我還有什麼不敢的。」

蒯通言罷，哈哈大笑，但他突然臉色一整，正色的說：「但有件事我還是弄不懂。」

「先生請說。」

「賢弟先是立志復國，後又力主協助扶蘇登基，現又算計嬴秦，想將它打散弄爛，天下蒼生豈不又要遭到塗炭？賢弟的行事原則，難道是說變就變？」

「以變應變，此之謂原則不變，張良以天下蒼生爲重，」張良笑著說：「協助擁立扶蘇，是因爲判斷他可以成爲好君主，造福天下。如今想藉由趙高攪局，打散嬴秦天下，乃是想在群雄爭起的時候找一明主。原是認爲天下久分必合、久亂思治會應在扶蘇身上，但看到胡亥登位，扶蘇慘死，乃知道合與治不是應在嬴秦，而是另有其人，所以不管怎麼變，張良的原則未變。」

「妙論，妙論，佩服，佩服，眞想不到賢弟年紀輕輕，看事卻如此透徹！」蒯通仰天大笑。

「先生精於看相占卜，不知可算出未來天下走勢如何？」盡受別人捧，太不過意，張良也回捧一句。

「哈哈，哈哈，」蒯通笑著說：「未見其人，如何面相？占卜只能問單獨一事，無法預測這麼多複雜錯綜的天下大勢，這就是所謂寸有所長，尺有所短。不過依我的判斷，胡亥愚頑，趙高思動，兩者加起來，比嬴政的勞民傷財更會變本加厲，而兩者的聰明才智總和起來，不及嬴政百一，天下是亂定了！賢弟的看法呢？」

「我的判斷是少則一年，多則三年，天下必亂，」張良沉思的說：「我們必須早作準備。」

「那愚兄明日就啓程回齊，在那邊伺時而動，賢弟，你呢？」

「我選擇回下邳，那裡有一批人等候我去率領，同時楚地組織網絡中心也在那裡。」張良回答。

兩人相對無言半晌，突然異口同聲感嘆：

「天下將亂，最可憐的還是百姓！」

10

那天，於回咸陽途中，在杜城行宮處，二世又向趙高發牢騷說：

「大臣都藐視朕，對朕心懷不服；地方官吏仗有地方殘餘勢力，不太聽話，而諸公子見朕無父無母，又無兄弟，互相結黨想與朕爭位，這些情形要怎麼辦？」

趙高一聽，正中下懷，高興的在心裡想——我正想找機會發動，而你自己送上門來。不過，他表面裝出憂心忡忡的樣子，用同情的口吻說：

「臣早就看出這些，只是想講而不敢講罷了！」

「今天我們君臣也是師徒二人，一定要談個痛快，找出一個徹底解決的辦法來。」

二世聽到趙高同情他，不像往日那樣置之不理，大爲高興，立即命近侍準備酒菜，要與趙高痛飲作徹夜長談。

君臣二人喝至酒酣耳熱，二世命左右退出，向趙高許諾：

「老師，我們今夜必須商量出妥善的對策來！」

趙高嘆了口氣說：

「實際上臣的境遇比陛下還慘，先帝遺下的一些大臣，全是天下累世都知名的貴族世家，歷代先祖都是建過汗馬功勞或特殊功勳的。趙高以賤僕之子，先逢先帝恩遇，再蒙陛下行不次的拔擢，才能居此顯位，管領中樞政事。那些大臣表面對臣恭敬，其實陽奉陰違，背後罵臣不知罵得多難聽，臣爲了報答陛下知遇之恩，也只有認了。」

說著，趙高眞的是淚如泉湧，順著兩邊臉頰滾下來。

二世這時遺傳自始皇的倔強脾氣又發作了，他怒吼著說：

「我們師徒兩人掌握著天下權柄，爲什麼要效匹夫匹婦的牛衣對泣！」

「不錯，」趙高藉此機會慫恿：「陛下要思振作，展開反制行動。」

「但要如何展開呢？」二世茫然的問。

趙高拿起一隻象牙筷子，沾著湯水在席案上指點起來：

「第一，乘陛下出行之便，先整肅地方官員，除掉那些不聽話的，重新安插對陛下忠誠的人。」

「但朕對人事方面不熟，是否要找李斯丞相來商量？」

「李斯丞相！」趙高冷哼一聲說：「他貌似恭謹，其實內心最不服的就是他，他常自誇，追隨先帝將近四十年，雖然沒有汗馬功勞，但廟堂策劃，開國法典，甚至是制定全國車同軌、書同文，全都是他一手所爲！」

「那他將先帝置於何處?」二世氣憤的說。

「最要緊的,當初他是反對立陛下爲太子最力的人。」趙高乘機又放了一把火。

「先整掉他!」二世雙手握拳擊案。

「不行,他像棵大樹,枝幹盤根,植入大秦各國階層都太深,要拔掉這棵大樹,必須先削滅他的枝幹。」

「不錯,先將他放在一邊,」二世點點頭:「那第二步呢?」

「第二步,是對付這些結黨想和陛下爭位的公子和公主。」趙高胸有成竹的說。

「他們都沒有罪證,如何繩之以法?」二世搖頭。

「欲加之罪,何患無辭?陛下說他們結黨成群、圖謀不軌,就是最好的罪名,其實他們日夜圍獵夜飲作樂時所發的怨言,臣這裡都有紀錄,罪證足夠了。」

「老師怎麼搜集到他們這些罪證的?」二世驚問。

趙高微笑不語,但內心卻在好笑——嬴政一生英明,怎麼最後生出你這種白痴兒子!

「那再下一步呢?」二世倒有打破沙鍋問到底的好奇心。

「公子公主大多與諸大臣有姻親上的關係,譬如李斯幾個兒子都尙公主,而他幾個女兒也都嫁的是公子,只要先剷除掉這些想謀位的公子和公主,還可利用株連追究,嚴辦這些大臣！」

趙高說得口沫四濺，二世聽得意氣飛揚，他興奮的問：

「什麼時候開始？」

「立即開始！」趙高陰陰的回答。

11

於是，二世在趙高的協助和配合下，沿途展開一連串的血腥整肅。

首先，他逮捕了隨著出巡的九位同父異母兄弟，罪名是怨懟誹謗，圖謀不軌，其中六名立即在杜城處斬。

另將公子將閭同母兄弟三人囚於內宮議罪。這主要是顧慮將閭統率衛卒已久，怕衛卒會發生動亂，但逮捕以後，發現衛卒並沒有動靜。二世於是派使者傳詔給將閭說：

「公子不臣，罪當死，著派使者監督執行，希公子善於自處！」

將閭接過詔書後，不服的向使者說：

「在朝廷之上，我從來不敢僭越爲臣的禮儀；在廊廟祭祀，我從來沒失去節制；主上問話，我向來小心應對，從未說錯過話，怎麼能說我不臣呢？死不足畏，就怕死得不明不白，只希望能見到確切的罪證和恰當的罪名。」
「這不關我的事，我只是按詔書奉命行事！」
將閭仰天大叫三聲：
「天哪！天哪！天哪——！我沒有罪！」
兄弟三人互擁痛哭流涕，全都拔劍自刎。
在杜城一地，二世和趙高就以莫須有的罪名，處死了九位同父異母兄弟，十位公主也遭到賜綾縊殺。
趙高藉此機會大事株連相坐，有罪的宗室、大臣及地方官吏越來越多，人人自危，只有看趙高的臉色行事。
四月，回到咸陽，又有公子十二人殺戮於市，財產盡沒於官。
二世和趙高再循線索連坐牽連，整肅的大臣和宗室不計其數。
宗室和大臣全都驚恐不已，平民百姓看到這種情形，也暗自心驚。
如今始皇留下的眾多子女，只剩下李斯家的沒有動。
趙高在心裡想，暫時不要管你們，到時將李斯這棵大樹連根拔除時，覆巢之下無完卵，你們一個也跑不掉。

李斯的一位女婿公子高，眼看這情形想逃，但又怕自己一個人跑了以後會遭到滅族。爲了維護家人的安全，他主動上書給二世說：

「先帝在生時，臣入則賜食，出則坐轎。常賜御府的衣服給臣，也常賜中廄寶馬。先帝對臣厚，不能從死，實在是爲臣不忠，爲子不孝，不忠不孝不能立名後世，所以希望主上垂憐，准許臣從死先帝於驪山腳下，臣願已足。」

胡亥看到公子高這封上書，大爲高興，找趙高來拿給他看，但有點懷疑的問：

「他這樣做是否有陰謀？」

趙高傲然的笑著說：

「這些人現在擔心自己的命還來不及，哪有時間搞陰謀！」

胡亥大悅，下詔賜錢十萬補助喪葬。

最後，趙高將整肅的矛頭指向宮內，除了他自己的人以外，大部份的郎官都遭到殺戮和放逐，二世的近侍全都換上他的心腹。

在整肅行動暫時告一段落以後，這時內自後宮，外至各郡重要城邑的守、尉、監、令，全都換上了趙高的自己人。

李斯等大臣已變成了毫無權力的傀儡。

二世閑來無聊，想找事做，有天他對趙高說：

「先帝爲了嫌咸陽朝廷太小，所以興建阿房宮，還未完全建好，先帝就下令停建。接著先帝駕崩，專事喪葬和驪山覆土工作，阿房宮的興建就完全擱置，如今整肅行動已經告一段落，政局已告安定，驪山工程大致上也已完畢。假若阿房宮未完工就放在那裡，乃是在彰顯先帝的過失，不太適當。」

趙高聽了正合心意，再興工程，招致民怨，對他將來廢二世自立有利。

於是復作阿房宮，一切按照始皇原先計劃。

爲了表示自己在各方面不輸父親，二世同時也派兵鎮撫四夷，軍隊都派出去以後，咸陽兵力不足，二世下令全國徵召五萬材士屯衛咸陽，讓他們學習射御，並教導他們養狗馴馬的技術，以供上苑狩獵之用。

材士再加上建築阿房宮的工匠囚犯，以及附帶而來的人口，咸陽地區突然又增加幾十萬人，糧食頓告不足。

趙高想出一個絕妙辦法，各地徵來的材士、工匠和勞改犯，令由派出的郡縣負擔糧食，輪流換班的人也是如此，咸陽城周圍三百里內的糧食不得買賣食用，只能供宮廷及咸陽本地人食用，違者斬首。

這一下弄得天下大亂，因爲自帶糧食，路上就食用了三分之二，到達地頭，所帶來的糧食吃不了幾天就完了，要等派出的郡縣送糧來，又不知要等到哪一天。

於是咸陽附近出現糧食黑市買賣，糧食價格飛漲，當地或外來的窮人連糟糠都吃不起。到處都有餓死的屍體出現，但咸陽令閻樂是趙高的女婿，他專門報喜不報憂。民眾都搖頭嘆息，素稱富足的關中，除了大饑荒年外，很少有餓死人的現象。

管理皇家錢糧的少府章邯，就曾向二世報告這種餓死人的現象，並提出看法，認爲是人謀不善。關中的糧食隨軍運到外地邊塞和在各地的糧倉囤積，在咸陽服役的人卻要自帶糧食，一來一回浪費了多少時間和糧食。

二世不懂也不願懂，因爲他從來沒餓過肚子，也未見過挨餓的人是個什麼樣子，連這一點他都比他父皇差得太遠，始皇可是待過邯鄲貧民窟的。

他要章邯去向趙高報告，趙高沒等章邯將話說完，就露出猙獰的臉孔向他說：

「你是看到政局已趨安定，無事找事，危言聳聽？看你這個樣子，很像是條漏網之魚，嗯，公子將閭生前好像對你不錯！」

章邯連忙告罪，急著辯解，他只是想爲主上分憂，所以不禁多話而已。

趙高一對鼠眼炯炯發亮的瞪視他，忽而轉作鷺鷥笑說：

「爲主上分憂？主上本來不憂的，經你這樣一說，他反而會憂起來。你要記得，以後有什麼事先來找我，知道嗎？」

「卑職記住了。」少府本不屬郎中令管，但章邯知道趙高是實質上的丞相，他不得不討好自稱卑職。

趙高沒有設法解決糧荒的事，卻用二世的名義下達嚴格命令，凡是發現餓死者屍首的地方，鄉里三老都受連坐處罰。

這樣一來，路倒餓殍者是看不到了，可是到處出現月黑風高偷偷埋死人的怪異行動。餓死沒有人管，逼得飢餓的人展開偷搶糧食行爲，先是偷搶有餘糧的大富人家，搶偷完了，就找只有少數餘糧的人，這些人僅夠家人糊口的糧食被偷被搶，被逼也參加搶偷的行列，最後人多勢眾，竟偷搶起官倉的糧食來。

秦國本部素以男耕女織，市無閑人，路不拾遺，夜不閉戶，家家自足，山無盜賊自豪，如今首善之區的咸陽，竟出現餓死人、搶公糧的事，怎不教這些咸陽父老嘆息流涕。

先是不管的趙高，現在看到事態嚴重，他用出最直接簡單的辦法，派兵鎮壓捕殺，現場發現者，無論青壯老弱，格殺勿論，事後追捕到的，全發配北邊築長城。
搶風暫時制止住了，偷糧事件卻變多了，餓斃者的出現少了，刑場的處決犯卻大幅增加。

13

咸陽附近情況如此，全國各地情形更爲惡劣。
田賦徭役重得民眾負擔不了，只得棄家逃亡，流浪人口增多，社會問題也就增多。
山川大澤充滿了盜賊，乃是逃亡者最後的去處。打家劫舍，做無本生意，但代價卻要守本份的百姓來付，因此，善良百姓越來越少，盜賊卻多如牛毛。
一直在等候復國機會的前諸侯餘孽，乘機招兵買馬，以搶劫或向地方抽保護稅爲生，等待時機發動。
素來就恨透了暴秦的儒生，這時是最好最有效的反抗鼓吹者，他們利用讖言、預兆和平日代人行禮或占卦，宣傳天下將亂，暴秦必亡，他們創作了很多歌謠流傳各地，內容全是預言秦亡之日不遠。
大秦內外，京城地方，全都成了魚腐肉爛狀態，只要用指頭一點就會支離破碎。
眾怨像積薪一樣已經堆成，現在就只差一點火種。只需一絲星星之火，整個薪堆就會燃燒起來，整個大秦帝國就會付之一炬，煙飛灰滅！

二世元年七月，戎卒陳勝、吳廣爲屯長，率九百名戎卒往戎漁洋，駐屯大澤鄉時，遇到大雨，道路不通，怎樣算都已趕不上戎期，依法，九百人都當斬。陳勝和吳廣商量說：

「戎期無論如何是趕不上了，要是逃跑，抓到了也免不了一死，假若我們能鼓動眾人來一個復楚行動，大不了失敗也是一死，與其等死，不如爲國而死。」

吳廣回答說：

「不錯，但是我們也應該有個行動計劃，以我們兩個無名戎卒，號召不了群眾，成不了大事。」

陳勝望著駐地祠堂外下著的豪雨和雷電，陷入了沉思。隔了好久一會，陳勝以拳擊掌，高興的靠近吳廣耳邊說：

「天下人都怨恨暴秦很久，只是沒有人領導起來反抗。我聽別人說，始皇臨死本就遺詔傳位長子扶蘇，但爲二世和李斯、趙高勾結起來掉了包。二世殺了扶蘇，只有北邊百姓知道一點消息，南方的百姓是完全不知道，但扶蘇的賢名卻是天下人都景仰的。」

「扶蘇爲公子，乃是文人，總得想出一個武將來輔佐他，否則號召力還是不夠。」吳廣又說。

「這我也想到了，我有一位名將，不知道你贊不贊成？」

「誰？」

「項燕！楚名將項燕，甚受士卒愛戴，在昌平一戰被逼自刎，但他的一些老部下因爲先他離開秦軍包圍圈，所以到現在還不相信他已死。只要我們提出由項燕輔佐扶蘇討伐胡亥和趙高，楚地和齊地的有志之士一定會望風響應。」陳勝侃侃而論。

「不錯，這個主意很好，」吳廣點頭，但他想了想又說：「按照規矩，行大事前，應該占卜一下，但下這樣大的雨，要到哪裡去找占卜人？」

「這個容易，祠堂裡就睡了一個。」陳勝指著一個臉如重棗的小老頭說。

「唉，」吳廣忍不住嘆口氣：「年輕人都徵光了，這種年近半百的老占卜者也拉來充數！」

「那不正好，眞是合該起事，連占卜人都是現成的。」陳勝笑著說。

他們將小老頭喊起來，告訴他心中有事，要他卜一個卦，看事情能否成功。

其實小老頭在一旁裝睡，他們說的話，他早已聽了一個大概。

他從背囊中取出他的維生工具——龜殼和蓍草，將祠堂神桌上原有的香燭點了起來，口中唸唸有詞，經過一番行禮如儀，然後查驗結果。他捻著花白的鬍子說：

「按照卜象，爲上上吉，表示凡事可成，但是你所卜的難道是用鬼之名？」

聽他這樣說，陳勝、吳廣更爲高興，信心百倍。

他們商量的結果，除了用這兩個鬼魂的名義外，另外還得裝神弄鬼一番，才能服眾。

陳勝先用帛寫好了「陳勝王」的字樣，而且是用古體大篆所書。寫了多張，偷偷塞在河邊漁夫罟網中的魚腹裡，然後再派人買了這些回來加菜，割開肚子一看，好多條魚腹中都有這種字樣。

有些魚被漁夫賣到小鎮上，「陳勝王」的消息由小鎮傳遍了廣大民間。

另外，吳廣每當月黑風高、雨勢滂沱的時候，便偷偷溜出去，在樹林中燃起篝火，然後學狐仙叫著：

「大楚興，陳勝王！」

鬧得這些戎卒夜夜驚恐，連做惡夢，跟著興起鬧營情形，就是有數百人，一起從睡中醒來，大叫：

「大楚興，陳勝王！」

到了白天，士卒互相談論，在陳勝背後指指點點，但陳勝裝得若無其事。

傳言越來越多，越傳越盛。

吳廣待人仁慈寬厚，能得士卒之心。陳勝明白，要挑起事端，必須由吳廣來實施苦肉計，因此他和吳廣事先商量好計策。

那天，大雨停了，押送戍卒的將尉看看明天即可出發，高興起來，喝了個半醉，他將陳勝、吳廣喊到面前交代：

「明天天明時出發，今晚你們要督促士卒做好出發準備！」

陳勝沒有說話，吳廣卻大發牢騷起來：

「將尉，出個什麼發，簡直是驅羊進屠場！算算限期還有幾天，我們就是長了翅膀也飛不到戍地了，按律失期者斬，我們不想這樣千里跋涉去送死！」

「什麼？你說什麼？」將尉簡直不相信自己的耳朵，懷疑自己眞是喝醉了：「你再說一遍！」

「我說，我們不想長途跋涉去送死，要去你一個人去！」

吳廣這次是一個字一個字的說得非常清晰，將尉也完全聽到了，卻似乎不能完全明白吳廣的意思。他醉眼惺忪的問：

「你們不去，我一個人去，這是什麼意思？」

陳勝和吳廣還來不及回話，將尉卻像突然清醒，跳了起來開罵：

「什麼？你敢說這種話，是不是想造反？來人！將他們兩個綁起來！」

陳勝和吳廣不動，周圍聞聲看熱鬧的戌卒也沒人動手。

「來人！來人！」將尉喊了好多聲，最後是他自己的幾個侍衛上來，其中有個侍衛還勸告吳廣：

「你就趕快離開吧，將尉大人喝醉了。」

「我走什麼走？」吳廣不但不領情，反而瞪大了眼睛吼：「我說的是老實話！」

「你這個混蛋！」將尉上來打了吳廣一個大嘴巴：「綁起來！」

吳廣被一巴掌打得鼻子流血，侍衛們七手八脚的將他綁在祠堂的大柱子上。

「剝掉他的衣服，給我用力抽！」

侍衛脫掉吳廣的上衣，露出肌肉結實的胸膛，敷衍的鞭了幾下。將尉嫌不夠重，搶起鞭子沒頭沒腦先抽了侍衛幾鞭，口中罵著：

「㑚娘賊，要你鞭人，怎麼是這種鞭法！」

他用力揮鞭，一鞭下去，吳廣胸膛就見了血，長長一條鞭痕血淋淋的。

吳廣閉眼咬牙忍痛，就是不出一聲，圍觀的戍卒卻大聲起鬨起來。

「吳廣的話不錯，我們不能千里迢迢趕去送死！」有人喊著說。

「你們想造反是不是？」將尉醉貓似的腳下踉蹌不穩，轉過身來見到人就亂抽鞭子。

「造反就造反，怎麼樣？」很多人大叫起來。

有一個戍卒被將尉抽得眼冒火星，怒氣上升，不管三七二十一，奪過鞭子反過來狠狠抽了將尉一頓。

這下將尉的酒完全醒了，大叫著：

「反了！反了！你們膽敢打朝廷的命官！」

「反也是死，不反也是死，反就反，怎麼樣？」眾多的人七嘴八舌的喊叫。

戍卒一擁而上，解掉吳廣的綑綁，就用綁他的繩子，將將尉綁在殿柱上。挨過鞭子的戍卒，每人賞他幾鞭，沒有一會他就被打得再也不敢罵人。

「大楚昌！陳勝王！」戍卒群中有人如此大喊。

一呼百應，幾百名戍卒全都歡呼：

「大楚昌！陳勝王！反還可以求生，不反死路一條！」

眾戍卒紛紛跪倒在地說：

「魚腹書，狐夜哭，全都倡言陳勝應王，大王就領導我們抗秦吧！」

陳勝推辭再三，吳廣和眾人一再苦苦懇求，陳勝乃表示答應。

此時在混亂中，已有人殺了將尉和左右兩尉，侍衛們亦紛紛投降。

於是，陳勝自稱將軍，吳廣爲都尉，以公子扶蘇和項燕之名作爲號召。

國號爲大楚，所有參加起義的人都赤露右臂，設壇爲盟，以將尉首級祭旗，開始出發起義。

陳勝和吳廣率領義軍首先攻打大澤鄉，鄉中居民未作抵抗，紛紛投入義軍陣容。

攻下大澤鄉，奪得民間收藏兵器糧食，義軍力量大增。轉而攻打蘄縣，不久攻克，收編了縣卒，更多人志願從軍。

在攻下蘄縣後，陳勝命符離人葛嬰率兵征討蘄縣以東地區，連下銍、苦、拓、譙等大城。

再揮兵圍攻陳縣，此時陳勝義軍兵力已達步卒數萬，騎卒千餘，戰車六七百乘，聲勢大振。

陳城縣令望風潛逃，獨有縣丞率兵應戰，戰爭失利，縣丞殉職，義軍一舉攻佔陳城。

陳勝吳廣聯名出榜安民，並徵求民眾參加義軍。

數日後，陳勝下令地方三老及各方領袖人物皆來會商議事，與會人士皆一致推崇說：

「將軍被堅執銳，討伐無道，反抗暴秦，再造楚國社稷，何必要假扶蘇之名，應自立為王。」

陳勝一聽這項建議不錯，乃自立為王，國號張楚，張者，發揚光大也。

就在這個時候，各地諸郡縣痛恨秦吏的民眾，紛紛起義響應，殺官吏擁兵數千，自稱將軍及都尉者不可勝數。

函谷關以東，情勢一片混亂。

這種情形開始時，地方派使者上報，二世都認為是危言聳聽，別有用心，全都交廷尉嚴審。

後來各郡報急的使者看到這種前車之鑒，當二世再問到時，全都這樣回答：

「這些所謂義軍全都是些盜賊罷了，郡守和郡尉正全力追捕中，不會有大妨礙。」

二世大悅，厚賞使者。

但實際情形是，太行山以東地區已鬧得天翻地覆，除了陳勝號為張楚王外，武臣自立為趙王，魏咎自立為魏王，田儋自稱齊王，劉邦起兵沛縣，因兵少自稱為沛公，項梁和項羽叔姪，則舉兵會稽郡。

16

直到二年冬（秦以十月爲首月，冬季爲年初），陳勝所派遣的周章等將領，率軍到達函谷關外不遠的戲城，號稱大軍數十萬，二世這才緊張起來，急著召開御前會議，討論如何討賊。會議上，李斯左丞相、馮去疾右丞相、馮劫將軍等諸大臣全都面面相覷，不知該如何解決問題。

大軍全派在南北鎮撫四夷，長城監工防邊三十萬，南方新設四郡及鎮守五嶺要道四十萬大軍，兩處共占用了七十萬部隊，一時都調不回來。

再說，王翦、王賁父子此時已死，蒙恬自殺，朝中已派不出能征慣戰的名將。再加上二世和趙高最近的整肅行動，能領兵作戰的將領幾乎殺害殆盡。

而且關中以外地區民眾都在造反，想徵兵沒有那麼容易，關中百姓餓的餓、逃的逃，一時要組成能對抗數十萬大軍的部隊，也是難上加難。

二世本人更是一籌莫展，凡事他都和趙高商量慣了，見不到趙高他就沒有主意，偏偏趙高只是個管理皇宮安全的郎中令，沒有資格參加討論軍國大事的御前會議。

將軍馮劫首先發難說：

「如今山東盜賊爭相起來自立爲王，想征討都抽不出兵來，而建築阿房宮花這麼大的人力和物力，實在應該立即停止，將人力和物力轉用在討伐山東盜賊上！」

李斯和馮去疾也相繼發言，支持馮劫的建議。

其他的大臣全都是趙高的人，至少也是見風轉舵的騎牆派。他們本來想幫二世說話，但自己也拿不出辦法來，而且馮去疾等人說的話理直氣壯，想駁也駁不倒，於是全都靜坐啞口無言。

二世遭到三位言詞犀利的老臣輪番攻擊，又氣又急，差點哭了出來。

列席的少府章邯看到情況不對，深怕二世會老羞成怒鬧出大事，他打圓場說：

「阿房宮工程可停亦可不停，只看陛下對事情輕重緩急的衡量。」

聽到他這麼說，三位老臣瞪著眼看他，二世則龍心大悅，終於有人爲他解圍，他高興的說：

「說說看，除了停建阿房宮以外，你還有什麼辦法？」

李斯接著發言說：

「章少府，本相今日要你來列席的原因，就是想要你稟奏陛下，皇家度支爲了修建阿房宮虧空了多少。你不報虧空數字，證實阿房宮再也修建不下去，反而說阿房宮停建不停建沒有關係？」

二世不悅，沉默。

章邯只笑了笑說：

「丞相別急，請聽完卑職的話再說。臣認爲驪山陵墓大致上完工，可以暫停或只留少數人整理遺下未完工程。據臣估計，大約可抽調三十萬人出來，足夠組成一支強有力的軍隊。」

二世還未表示意見，將軍馮劫卻老氣橫秋的說：

「這些人大部份都是亡命之徒，將他們武裝起來，要是和山東盜賊裡應外合，那還得了？這個主意不好！」

「將軍是太多慮了，只要赦他們的罪，保證事完以後恢復他們的自由，有功者按軍功行賞，他們一定會拼死作戰，而且眼前他們就有嚴密軍隊編制，只要略作調整，立即可以上陣殺敵。就因爲他們都是亡命之徒，作起戰來更可以一當十。」

二世大喜，側目怒視右丞相馮去疾說：

「馮丞相，你認爲如何？」

「老臣沒有意見，但有一個疑問，誰去統領這支由亡命之徒組成的大軍？」

「馮將軍，要派誰領軍出征？」二世轉問馮劫。

馮劫想了想，一半是氣話，一半是幸災樂禍，他笑著說：

「這是章少府出的策略，他領軍最好！」

所有參加會議的大臣，數十雙眼睛都集中在章邯臉上，想看他惶恐著急的樣子。那知章邯從袖內抽出一卷白綾，上面寫滿了密密麻麻的字，還夾著彩色的作戰地形圖，要近侍轉呈二世，他胸有成竹的說：

「那是臣多日來擬訂的一項轉換驪山囚徒為征伐軍的計劃，並附錄消滅山東群盜的作戰構想圖。」

「啊，看來他真是有心人！」大臣之中有人讚嘆。

「不但有心，而且有才幹膽識。」另一位大臣欽佩的說。

二世看也未看立即裁示：

「授卿全權處理，封卿為平東將軍，擇日拜將，丞相和將軍著手配合！」

17

回到宮中，二世立即召來趙高，向他抱怨今天御前會議上的情形，這一來正好合了趙高的心意。二世恨恨的說：

「這三個老傢伙聯合起來對付我！」

「這也難怪，」趙高安慰他說：「先帝在位日久，對每個大臣的性格和底細都摸得清清楚楚，眾大臣當然不敢亂說話，或有所作怪的動作。如今陛下這樣年輕，凡事都鬥不過他們，何必和他們公開舉行什麼御前會議？話稍微說錯一點，就會自暴其短，天子稱朕，朕者沉也，就是要群臣聽不到他的聲音。今後有事要他們上奏摺，臣可協助陛下慢慢思考批覆，只有陛下抓他們的毛病，他們再也找不到陛下的錯了。」

二世當然願意這樣做，省得天天要見那幾個討厭的老鬼。但是他仍感不滿意，孩子氣的鬧意氣說：

「朕要那三個老傢伙的頭！」

趙高連忙安撫他說：

「陛下，現在將有事於山東，不能再節外生枝，內部起鬨，等山東事畢再說。」

於是，趙高從此不但控制了朝政，也掌握了整個二世與群臣會面的管道，李斯等大臣要見二世，還得由趙高轉請，實質上也就是要等他批准。

這以後，二世常在宮中與趙高議事，很少再接見群臣。

另一方面，章邯果然才智膽識過人。他率領三十萬亡命之徒改編的部隊出關迎敵，在戲城一戰擊潰了周章號稱數十萬的大軍，然後緊隨追擊，在曹陽殺了周章，整個義軍士氣因之低落，秦軍聲威又復大振。

二世和趙高爲了不放心章邯一戰成名，會產生異心，又派長史司馬欣和董翳到軍中監視，但他們佩服章邯的器識，反而成爲他的好友兼好部下。

三人同心合力，在城父圍殲張楚主力，擊殺張楚王陳勝，張楚亡，屬下將領各自領軍逃散。

章邯乘勝追擊，再破項梁軍於定陶，項梁陣亡；再滅魏咎軍於臨濟，楚地義軍知名首領全部死亡，只剩下項羽和劉邦所率領的少數部隊，奉號稱爲楚懷王之孫的熊心爲懷王以示號召。但章邯判斷他們短時間內難有作爲，於是北渡河水直奔鉅鹿，又在當地擊潰趙王歇的主力，將趙歇圍困在鉅鹿。

等到情勢好轉，前方捷報頻傳，二世又想起那筆老帳，他和趙高商量以後，由趙高擬稿，下達詔書責備李斯三人，大意是：

「古時堯舜的宮殿，樑木的樹皮都不刮掉，屋頂蓋的茅草都不修剪，台階只有三級，還是由泥土所堆成。而禹王治水，親自操勞，連小腿上的毛都磨掉了，但此一時彼一時也。先帝爲天子，天下已定，四夷臣服，所以作宮室以彰得意。今朕繼位兩年，群盜並起，君等不能禁，反而議論起先帝所爲，又欲罷先帝開創的建設，眞是上不能報先帝，次不能爲朕盡忠效力，憑什麼要霸住權位不放？」

三人接詔，多次想見二世解釋，趙高都爲難不予通報，只是說二世不願見他們。

接著另找罪名要將三人下廷尉審問。

馮去疾和馮劫接詔以後，大喊：

「將相不辱！」吞藥自殺。

只有李斯自認功大，還想等機會解釋，讓二世回心轉意。

廷尉是趙高的人，按照他的意思對李斯痛加各種刑罰，強按的罪名是他的兒子三川守李由通盜，因爲楚盜首陳勝，正是李斯的同鄉。

李斯受不了刑求，只得屈打成招，但他唯一的希望是，丞相身爲大臣，皇帝必須在廷尉定罪後親自派人複驗，他希望在那個時候能平反，所以他一直忍耐著不肯自裁。

但趙高早就料到他的心意，他派些心腹御史、侍中裝成代表二世複驗的使者前去問案，李斯一想翻供，僞裝者就露出眞面目來，命刑卒狠狠揍他一頓。挨打的次數多了，被打怕了，最後二世派來的眞正使者複審，李斯也不敢翻供，於是通盜罪名成立，判決腰斬棄市，滅三族。

正當已經定讞，二世派往三川查案的使者這時剛回來，查明李斯的兒子三川守李由並未通盜，而且已被項梁所殺。趙高警告使者，不得在主上面前亂說話，因爲李斯本人已經招供定案。

趙高將審判結果及判決稟奏二世，二世大爲高興的說：

「假若不是趙卿，朕給丞相賣掉還不知道！」

二世二年七月，李斯身具五刑，論腰斬咸陽市。

18

那天，天又是陰陰暗暗的，烏雲密佈，還刮著一陣陣夾著黃沙的大風，時而遠方天際閃起火蛇似的閃電，隆隆雷聲從遠處傳來。

就在同一個刑場，李斯曾任監斬官，斬過多少宗室和大臣，包括刺始皇的荊軻在內。

今天刑場內受刑人特別多，他的父、妻、母三族加起來共有三百多人，排成好幾列下跪，每個人背後站有一個手執鬼頭大刀的劊子手，個個敞開前襟，挺胸凸肚，露出黑黑的胸毛。

觀刑台同樣是三座，正中台上坐的是二世，距離太遠，看不到他臉上的表情。不！連他臉的輪廓都看不清，以往他曾經抱著坐在膝上的胡亥，如今隔他是如此遙遠。

他在獄中曾上過三次書給他，連一點反應都沒有，這點眞和他父親始皇一樣鐵石心腸。

左邊的監斬台上坐的是趙高，他現在是達成心願了，不但接替了他的位置成爲中丞相，而且還坐在他慣常坐的位置，親自將他的三族送上死亡之路。

右邊看台上坐的那些宗室和大臣，不知眼前心裡作何感想？他們是否在想，下一個又會輪到誰？

檢討他這一生，也許最大的錯誤，就是不該和趙高這條毒蛇打交道。他自命靈巧機智，能識時務，在別人眼中也被看成是頭狡猾的老狐狸。他自認和毒蛇同處，可以不吃虧而佔便宜，最多不小心時，準備讓他咬上一口兩口，卻沒想到趙高這條毒蛇之毒，無與倫比，咬上一口就會致命！

假若他當初不和趙高改遺詔立胡亥，如今即使他不能再坐丞相的位置，至少也可以優遊林下，不會三族三百多口，跪在法場之上，不會身被酷刑，遍身鱗傷。

也許，他錯誤的第一步還可以往前追溯，他不應該看到廁所裡偷吃人屎、見人犬就倉惶逃走的廁鼠，就拿來和米倉的肥胖倉鼠作比較。現在想想，瘦老鼠還不是活得很好？胖老鼠飽食終日，關在倉庫裡，一年到頭見不到陽光，不見得比那些只要吃飽就能在田地裡追逐，在陽光下跳躍的廁鼠快樂。

假若他不想當肥鼠，現在應該是讀讀書，寫寫作，在著作方面的成就不會比韓非差。毫無疑問的，韓非的〈說難〉等著作一定會流傳後世，而他為始皇建立的專制獨裁制度，又能流傳多久？恐怕到胡亥這一代，就會宣告終結，像胡亥這樣亂搞下去，大秦的滅亡，只是幾年間的事。

他在潛意識中是否在妒忌韓非這種自成一家之言的人，然後才會慫恿始皇作焚書之舉？不過值得安慰的是，他幫始皇精簡了文字，將大篆改為小篆，今後兆億人都會用到它，後世會為這事，為他記上一筆功勞。

他抬頭看看圍在刑場四周看熱鬧的人，看樣子比車裂嫪毒和荊軻時的人還要多些。大秦法令規定不得有閑人，遊手好閑的人都要抓去北邊築城，但為什麼每次行刑，總有這麼多看熱鬧的閑人？

他再回頭看看身後跪著的一片黑壓壓的人群，這都是他血肉相連的親骨肉！多年前他單身來秦，幾十年的時間，竟繁衍綿延了這麼多的人！

生命多奇妙，一粒種子撒在合適的土地上，經過時間的培育，自然而然就會繁殖出更多的種子，但一場嚴寒、一場乾旱或是洪水和火災，又能將多年的成果毀於一旦。

不過，總還會有漏網之魚，總有任何災害都摧毀不掉的種子，他們遇到合適的土壤，又會生生不息再來一次。

想到他早已託人帶到楚地的幼子，他不禁發出微笑。

他轉臉看看跪在身邊的中子，也是唯一尚未結婚的。他問正在啜泣的中子說：

「兒子，害怕嗎？」

「有一點。」中子不好意思的停止啜泣。

「不要想那麼多，人生難免這個結局，也許年輕時死是一種福氣，不必經過老、病和其他很多煩惱事！」

「爹，你現在心裡在想些什麼？」中子好奇的問。

「我在想，」李斯苦笑的回答說：「我答應過你，明年年初休假，帶你回去上蔡老家打獵，牽著黃狗到東門去追逐狡兎，現在恐怕是辦不到了！」

「爹！」兒子放聲大哭。

李斯搖搖頭，想伸手撫摸一下兒子的頭髮，但發覺自己雙手是反綁著的。他只得口頭安慰他說：

「兒子，想開點，我們父子還有這麼多的親人同時死，說起來還是件難得的事！」

「爹！」兒子哭喊著。

午時的三通鼓擂起來，人群開始吶喊。

李斯彷彿聽到有人喊著說：

「假若這個老傢伙不一時被權位迷了心竅，以他對大秦的功勞，將和周朝的周公及召公媲美，現在這樣，害了自己，也誤盡天下蒼生！」

李斯驀然一驚，難道這就是後世對他的定論？

他長嘆一聲，閉上眼睛。

一陣響雷之後，傾盆大雨下了起來。

19

趙高現在掌握了一切權力，包括二世的生活起居在內。以前，他勸阻二世上朝，避免他和宗室、大臣直接接觸。但在他當了中丞相以後，他以師傅的身份，每天逼著二世上早朝，因爲只有這樣，他才能在文武百官面前擺威風。尤其是如今上朝的位置，已改在新完成的阿房宮朝殿，建築巍峨，氣派宏偉，帶領著數百文武官員高呼萬歲，然後由百官向他問早安，眞是過癮透了。

以前他只是掌握實權的黑牌丞相，如今他不但是名正言順的正牌，而且是高過任何丞相的中丞相。

雖然朝中的掌權者，清一色全都是他的人，但他還是不放心，他想出一個怪點子，來測試這些人對他的忠誠。

那天早朝後，眾臣奏事完畢，二世正要退朝，趙高突然出列啓奏：

「陛下請慢點走。」

「什麼？」二世一臉困惑的在心裡想——每天四更你就來到寢宮外等我起床、梳洗、更衣，一直看到我上車才走，根本不管我貓頭鷹的習性，現在我又煩又倦，只想回去好好睡個回籠覺，你又不讓我退朝，要耍什麼花樣？——但他口裡問的是：「丞相還有什麼事嗎？」

「臣有一北邊送來的珍奇怪獸，不敢自藏，想轉呈送給陛下，還祈陛下笑納。」趙高躬身說。

「呈上來吧！」二世只有這樣說。

趙高向殿前一名郎中做了個手勢，郎中向外傳令，只見從殿門推來一部欄車，推到殿下，眾臣一看，不禁竊竊私語起來。

「明明是隻梅花鹿，上苑裡多得很，算什麼珍奇怪獸？」有人情不自禁說了出來。

趙高狠狠瞪了這人一眼，沒有說話，但已暗中記下了這個傢伙的名字。

「丞相，這只是一隻梅花鹿嘛，上苑獸欄裡，就養了很多，也能算是奇珍怪獸？」二世忍不住大笑起來。

「不然，這是林胡獻來的林胡馬，十萬匹當中，難得挑到一匹的異種！」

「丞相說笑了，」二世不解的說：「頭上長了一對大叉角，細腿短尾，黃色皮毛，再加圈圈白點，明明是隻大水鹿嘛！」

「不然，陛下的眼睛恐怕出了毛病，」趙高嚴肅的說：「這匹林胡馬乃是異種，但皮色是白的，而且並沒有長角，不信可以喚諸臣來看看。」

二世要近侍大聲傳旨，於是文武百官也就沒有了什麼朝儀，就像市井中看猴子耍把戲一樣，團團將獸欄車圍住。

看完以後，又再按官階排班，趙高點名一個個的問，大部份的人都答是馬，只有少數人心直口快，直說是鹿，趙高只冷冷的笑著說：

「你的眼睛恐怕和陛下一樣有了毛病！」

眾大臣問完了，趙高又再躬身啓奏：

「陛下聽見了，除了少數眼睛有病的人，全都看清是馬，這些人已該退休治療眼睛了。」

二世用手擦了擦眼睛再看一次，獸欄裡裝的明明仍是鹿嘛！他有點神情沮喪，問侍立在身後的近侍，這些少男少女都一口認定是「馬」！

「朕的眼睛也有毛病了，」二世惶恐的說：「退朝吧，朕也要去治療眼睛了！馬交上廄處理。」

二世退朝，即找來御醫看眼睛，所有眼科御醫會診的結論是，皇上的眼睛好得很，就是睡眠不夠一點，但也不至於將馬看成是鹿。

御醫也怕趙高，也將這隻鹿認定是「馬」。

趙高說：

「陛下眼睛既然沒有病，那一定是精神有病，說不定是有異物作祟。」

於是找來太卜，命他卜卦問祖先。

太卜行禮如儀，觀察卦象很久，才徐徐的說：

「陛下春秋郊祀，祭奉祖先，全都齋戒不清，此乃祖先降罪下來也！」

二世聽了心中更為惶恐，原來祖先討厭他在祭祀的前一晚還找女人侍寢，怪罪下來了。

於是傳詔，居上林行宮齋戒一月，政務由中丞相趙高暫行代理。

在代理政事期間，趙將那些說鹿是「鹿」的人，全繩之以法。

二世在上林閑不住，仍是每天弋獵取樂，隨行侍中都搖頭嘆息。齋戒期間不近女色不沾葷，但卻天天殺生，這叫哪門子齋戒！可是怎樣勸諫，都是沒有用的。

第30章

帝國落日

1

二世三年十月，也就是二世皇帝正在上林齋戒時期，包圍鉅鹿的章邯軍，遭到項羽所率的楚軍擊敗。

這位項梁的年輕姪兒，得到項梁在定陶失敗身死的消息，親率五萬軍隊，緊急渡河，往救鉅鹿，也是爲了向秦軍求戰，以爲項梁報仇。

渡河以後，項羽下令軍中只帶三日乾糧，將來時渡船全都沉沒，宿營帳篷廬舍也都燒光，連鍋碗盤勺等吃飯傢伙一起砸碎，以示不勝必死的決心。

到達鉅鹿外圍，先遇上北邊增援來的王離軍，予以擊潰並行包圍，再向前挺進，一連九次與秦軍相遇，九次都將秦軍重創。

然後斷絕了秦軍的糧道，大破秦軍，殺了秦軍領軍的蘇角，生擒王離，涉間不願投降，自焚而死。

當時，救援鉅鹿的各地諸侯軍早已到達，但畏懼秦軍戰勝餘威，皆堅守壁壘，不敢出戰。等到楚軍攻擊秦軍時，諸將都站在壁上觀戰。

只見楚軍無不以一當十，個個奮勇爭先，吶喊之聲震天。尤其是項羽，身穿黑色戰袍，騎著一匹純黑的烏騅馬，身高八尺有餘，貌若天神，在敵人陣中左衝右突，所向莫不披靡。諸侯諸將全都看呆了。

在大破秦軍後，項羽以戰勝者的姿態召見諸侯各將，他們進入項羽軍帳轅門時，莫不跪下膝行，不敢仰視。

章邯軍退卻到棘原，項羽軍追擊到漳南，兩軍對峙，各自整頓，準備再行決戰。

趙高以二世的名義派遣使者責備章邯，章邯恐懼，派長史司馬欣回咸陽見趙高解釋並請求援軍，趙高不見，還派人在回途中追殺司馬欣。幸虧司馬欣見機早，從別路逃回軍中。

司馬欣將趙高不見及派人追殺的情形報告以後，他沉痛的向章邯說：

「現在朝中是趙高當權，二世只不過是被他玩弄於股掌之上的傀儡。假若我們戰勝，趙高會妒忌我們的功勞，也會加以陷害；假若失敗，趙高必然也會治我們的罪，如今我們是無論勝敗都會遭罪，希望將軍多加考慮。」

正好這時，章邯的舊識陳餘，也寫了一封信給章邯，內容大意是：

「秦將都沒有好下場，白起和蒙恬就是最好的例子。秦將建功再大不封，而有罪則誅。今將軍爲秦將近三載，所亡失的人員以十萬數，難免戰後算帳。何況，秦亡之日已經不晚了。將軍孤立在外，而又有人妒忌掣肘，不是悲哀極了嗎？爲什麼不與諸侯約，反過來共同攻秦，分其地而南面稱王，不是太好了嗎？」

章邯猶豫不決很久，才派始成爲使者見項羽求和。和約未成，項羽又夜渡汙水，大破秦軍於汙水邊。

章邯再派人求和，項羽徵求部下的意見，管軍中糧秣的軍吏說：

「糧秣所剩不多，和了也好。」

眾將領都一致贊成。

項羽乃與章邯立約洹水之南的殷虛上。訂約儀式完畢後，章邯流著眼淚對項羽說：

「趙高弄權，嫉害忠良，章邯也是有國歸不得了！」

項羽乃立章邯爲雍王，隨楚軍行動，而派司馬欣爲上將軍，率領秦軍先行。

行軍到新安時，秦軍中間出了問題。

因爲平素秦派在各地的文官武將，甚至是地方官吏，對各地民眾或戎卒都是百般欺凌，現在秦軍投降諸侯，諸侯吏卒也乘戰勝餘威做種種報復行爲。

於是秦軍吏卒多在私下商議：

「章將軍出賣了我們，他自己已封王，卻要我們來受人汚辱。這次反過來攻擊秦地，能入關勝秦則罷了，否則又要隨諸侯軍回到東邊，朝廷一定會殺光我們的家人。」

諸將把秦軍不安的情形報告了項羽。項羽召集黥布和蒲將軍來商量。兩人的看法都是：

「秦軍戰鬥力仍強，假若進關中後生變，就很危險了，不如全部擊殺，單獨留下章邯、司馬欣帶領我們入關。」

於是楚軍設計勞軍，在酒內下迷藥，趁秦軍迷醉不醒時，將二十萬秦軍全部坑殺。

關外秦軍完全消滅，而關內也成空虛。

2

趙高在丞相府密室接見沛公劉邦所派來的使者，他仍然坐在慣常坐的陰暗角落，讓燈光投射在客人臉上。

坐定以後，使者首先說話：

「丞相想必看過沛公的信，有了周詳的考慮，希望早賜回音，以便在下返回覆命。」

「急不在這一時，沛公的信，本相已經詳細拜讀過，但有一、兩處值得商議。」

「不知是哪一、兩處？」使者問。

「第一，關中必須由本相為王，不得瓜分；第二，沛公以及任何諸侯軍不得踏入關中。至於二世皇帝嘛，就讓本相來處理好了。」趙高態度依然強硬的說。

「丞相這樣說就不對了，」使者焦急的說：「丞相明明知道楚懷王下令，上將軍項羽和沛公，誰先進得咸陽，誰就爲關中王。沛公如今兵臨武關，只要稍加攻打，即可破關而入；而項羽與章邯軍對峙漳南正在和談，據傳章邯軍已不穩，秦的大勢已去。沛公不是沒有能力強行破關，而是怕關中生靈塗炭，才來和丞相商量。」使者的口氣也不弱。

「使者可轉告沛公，函谷關、武關、散關和蕭關爲秦之四塞，全都是一夫當關，萬夫莫開的險地，別忘了以前諸侯聯合攻秦，一路順利，直逼關前，但秦一開關迎敵，諸侯就驚惶潰敗的故事！」趙高嘻嘻作鷺鷥笑，但他隨之語氣轉得柔和：「本相當然也不希望關中變成屠場，所以關外由各諸侯自行分地，本相絕不過問，秦軍雖一時失利，但戰鬥力沛公和使者都應該是知道的，怎樣都可退入關中自保，所以這兩點是本相的最低要求。」

「丞相高鑒！」使者有點氣憤的說：「沛公不入關，項羽亦會由函谷關入關，項羽的嗜殺和沛公的仁慈，可就不能同日而語了！」

「這是本相兩點最低要求，」趙高頻頻搖頭：「沒有什麼可再讓步的。」

「丞相不能不講理！」使者情急，說話也就不客氣起來：「沛公不能入關，就不能達成懷王的盟約，如何談得上分地爲王的事？」

眼看談判就要破裂，忽然有一名近僕來報。他附在趙高身旁細語了幾句，趙高臉色突然大變，但立即鎮定的向使者說：

「使者稍待，老夫立刻回來。」

使者看到趙高態度突然變得柔和，而且自稱由本相改成老夫，意味到事情有重大轉機。

沒過一會，趙高回來了。原來是前方來人報告項羽在新安坑殺秦降卒二十萬的事。

他在想，這眞是一報還一報，長平之戰，秦將白起坑趙降卒四十萬，如今還債僅只還了一半，關外秦軍全部消滅，關中剩下的只是些老弱的地方雜牌部隊。

雖然他盡量在表面上裝得若無其事，但在談判中卻不再像先前那樣毫不讓步。最後雙方達成協議——

一、准許沛公軍入關進咸陽，但象徵性佔領後立即退軍。

二、關中之地一分爲二，大部份之地仍號爲秦，由趙高爲秦王。

三、四處關塞由雙方共同管理。

四、使者即回報沛公作進關準備，決定日期通知趙高。

五、趙高這方面儘速做好迎沛公軍進咸陽的各項準備，準備好立即通知沛公方面。

臨行時，使者笑著向趙高說：

「韓申徒張良現隨韓王在沛公軍中，他要在下向丞相問好。」

「張良？」趙高印象中沒有這麼一個人。

「說張良，丞相也許不知道，但提張繼，丞相一定會記得起這位故人。」使者說。

「是他！」趙高心中暗罵了一聲混蛋，口中卻問：「韓申徒在沛公軍中從事哪種工作？」

「他名為韓申徒，其實是為沛公運籌帷幄，主持大計，要沛公和丞相分關中而治，正是他的主意！」

「這個狡滑的混蛋！」趙高在心中暗罵。

送走使者後，趙高又待在密室，獨自思考很久，研判應該什麼時候要二世退位，在沛公軍進關以前還是以後？

最後他得到結論：不管何時逼二世退位，他都得要設法讓二世遷出警戒森嚴的阿房宮。

3

也是巧合，二世每天在上林獵獸弋鳥，跑馬走狗取樂。那天正好有一名黔首誤進上林，被二世誤當做是野獸，一箭穿心斃命。

二世緊張得和趙高商量，趙高教他的女婿咸陽令閻樂判定為有人謀殺此人，移屍上林，將偵緝矛頭指向宮外，這件案子就變成了懸案，不了了之。

這時，趙高正好抓住這個機會恐嚇二世說：

「天子無故殺害無辜之人，會遭到上帝的懲罰和鬼神的禍害，所以陛下應該避居宮外，以祛除不祥。」

於是二世移居望夷宮。

這時候，章邯兵敗降楚，二十萬秦軍遭坑殺的消息，趙高再也一手遮天不住，終於有人向二世提出報告，二世緊張得召見趙高，趙高擔心禍發，而且沛公那邊猶未入關，因此他稱病不應召。

二世有天晚上做惡夢，夢見自己在上林行獵，遭到一頭白虎的追逐，座車的左驂馬（左邊最外側的駕馬）被白虎咬死了。

二世悶悶不樂，召太卜占夢，卦象現示：

「涇水作祟！」

於是二世在望夷宮齋戒，並沉四匹白馬以祭涇水。

他一肚子悶氣，想召趙高來商量，趙高又一直避不見面，正好這時他又得到消息，沛公劉邦將數萬人已破武關，他更是急欲見趙高，趙高仍然稱病不朝。

二世這下眞的火大，他派使者責備趙高說：

「先帝托孤於丞相，朕也全般倚重於你。丞相前多次言，關東盜不足爲患，現盜劉邦軍已屠武關，正向咸陽推進，丞相又不前來議事，到底爲何？奉詔後速來，否則議罪！」

趙高接詔以後，甚感爲難，想去，怕與劉邦張良勾結的事，二世已經發覺，此去正好是自投羅網。但又怕再要推託不去，二世一翻臉，兵權如今還有的在宗室大臣手上。而且他自知冤家仇人多，要不是有二世當他的護身符和令牌，眼前忠於他的人，說不定大部份都會倒戈。

於是他召來最核心的心腹——女婿閻樂、堂弟趙成和郎中令，要他們拿出主意來。

趙高首先說了開場白：

「主上一直貪玩又不聽勸諫，如今情勢緊急，卻又全部責怪於我。假若他聽了讒言加罪於我，一定是滅族禍延整個家族，找你們三人來，因爲只有你們才是我最相信的，趕快提出你們的看法，大家商量商量。」

三人都沉默很久，臉色凝重，平日他們都是照趙高命令辦事的，這樣重大的事情，一時他們哪來的主意。最後還是趙高打破室內的沉默，恨恨的說：

「這個小子我一直對他不錯，沒有我趙高，他哪有今天！再說遠一點，要是沒有我家那個愚忠的傻老子幫他祖父替死，他恐怕生都生不到帝王家。現在他說翻臉就翻臉，眞的是無情無義！」

「不錯，眞的是無情無義！」三人異口同聲附和，就像山谷回音一樣。

「所以，他既然先不仁，我也就復不義！」

「不錯，他既然先不仁，我們也就復不義！」三人仍然同聲響應。

「廢掉他！」趙高突然以拳擊案，不男不女的尖聲大叫。

這次三個人沒有隨聲附和，而是震驚得面面相覷，意識出事態的嚴重性。

「你們不同意？」趙高見三人不作聲，有點氣憤的問。

三人依舊不說話，因爲都不知道該說什麼。

「你不贊成？」趙高來個各個擊破，先問閻樂。然後又用威脅的口吻說：「不要忘記，你是我的女婿，滅族也會滅到你的頭上！」

「一切聽岳父大人吩咐，小婿唯命是從。」閻樂久處趙高的淫威之下，早已習慣講這句話。

「你呢？」趙高又瞇起他那對鼠眼盯著趙成看。

「大哥，小弟還有什麼話說，滅族我和你一樣首當其衝！」趙成一副豁了出去的神態。

「還有你？」趙高指著郎中令問。

「卑職一向聽丞相吩咐，」郎中令硬著頭皮說：「但不知廢了今上後，還要立誰？」

趙高本想指著自己的鼻子說：「立我！」但為了怕這些懦弱的傢伙會更害怕，不敢舉事，因此他說：

「公子嬰仁儉，百姓對他都很信服，我想立子嬰，各位有什麼意見？」

三人當然沒有意見，接下去趙高和他們商議了一下明日行事細節：如何由閻樂發動縣卒，謊稱有盜入宮，然後由郎中令為內應等等。

最後在臨散去前，趙高陰森森的對三個人說：

「為了安全起見，讓你們無後顧之憂，你們來的時候，我已命人將你們的家人全接來府中了。」

三人背脊發涼，家人已成為人質，不想舉事也不可了，好陰險厲害的趙高！

4

望夷宮位於郊外，由郎中令帶領部份郎中擔任內宮禁衛，外圍只有衛令僕射率衛卒千餘人擔任警戒。

二世一直貪玩，而且施政中心不集中在他身上，因此趙高府第和身邊的警戒措施，反而較此地要森嚴得多。

閻樂率領咸陽城卒兩千多人，浩浩蕩蕩的開往望夷宮。閻樂正好和趙高相反，身材高大肥碩，龍眉鳳目，騎在白馬上，風度頗爲不凡。

郎中令則集合諸郎中，佯稱宮中有大賊闖入，打開宮門四處搜索。

閻樂命城卒包圍宮門，自己率領千餘人進宮，郎中令和衛令僕射在門口迎住。

閻樂一到達內殿門前，郎中令打了一個眼色，閻樂大聲喝問說：

「賊人入得宮內，爲何不制止？」

堂堂的衛令僕射，哪裡會將一個小小的咸陽令放在眼裡！他反叱喝道：

「咸陽令，你別胡說八道，宮殿警衛周密，哪來的賊人？」

「看來你是通賊，所以才隱匿不報，來人，拿下了！」閻樂神氣活現的下令：「不然郎中令怎麼會請求外援？」

衛令僕射簡直不相信自己的耳朵，小小的咸陽令竟敢下令逮捕皇帝禁衛近臣。

就在他還未轉過神來時，城卒一擁而上，將他和他的從人都綁了起來。

外面的衛卒聞聲趕來，內殿宮門已關，門外城卒和他們戰鬥起來。平日二世待人暴戾，興之所至罵人、打人，甚至是令交法辦。所以很少衛卒願意眞的拚命，有的遠遠吶喊，城卒一追上就四處逃散；有的乾脆束手就縛，免得事畢以後，追查起來麻煩；眞正上來拚命的，全被人多勢眾的城卒圍殺了。

沒有衛令的指揮，其他的人也都找地方躲起來，等待事情過去以後再出來。

正在搜查宮內賊人的郎中，看到郎中令帶著閻樂和城卒進來，開始時還不注意，一聽到殿門外衛卒和城卒的殺伐，才知道事情有變。

郎中令和閻樂帶著城卒往便殿上闖，警衛的郎中和武士制止不聽，兩相打殺起來，這些人才知道郎中令和閻樂反了，郎中和宦者有的格鬥被殺，有的逃之夭夭。

二世正坐在殿上假寐，幾個美女正在爲他搥背按摩，忽然有幾支箭射他座前幃帳，女人們尖叫起來才將他驚醒。他勃然大怒，下令左右前去拿人，左右此時都不聽話，反而東走西散，一團混亂。

二世帶著女人們逃入內室，但箭矢不斷射在門上，有幾支勁弩竟穿透門揷進來。

女人紛紛尖叫著找地方躲藏，二世終究是皇帝，他不願太失態，勉強鎭定的在書案前坐下來，再左右一看，身後只有宦官一名沒有走，還是恭恭敬敬的侍立著。

「你知道是怎麼回事嗎？」二世還是感到摸不到頭腦的問這名宦者。

「陛下不用問也應該明白，是趙丞相反了！」

「趙丞相造反?」二世仍然有點不相信的問。

「趙高陰謀造反很久,已不是一天、兩天的事,連郎中令和部份郎中都換了他的心腹,這是宮中人人皆知的事。」這名宦者淡淡的說。

「那爲什麼不早告訴朕,乃至演變成目前這種情形?」二世埋怨的說。

「臣不敢說,要是早說,早就被砍掉了,哪還能活到今天!」宦者苦笑的說。

這時閻樂帶著兵卒踢門而入,郎中令大概心中有愧,沒有跟著一起進來。

閻樂威風十足的走到二世書案前,立而不跪,他不稱二世爲「陛下」,而稱對一般人的「足下」。他說:

「足下驕恣淫佚,誅殺無辜,如今天下人都反對你,希望足下善以自處!」

「我想見見丞相可以嗎?」在閻樂的威脅下,二世居然也不敢自稱「朕」而稱「我」。

「不行!」閻樂回答得很乾脆。

「我願意得封一郡爲王。」二世自認讓步的說。

「不行!」閻樂搖頭。

「我願爲萬戶侯。」二世語氣中帶著悲涼。

「不行就是不行,不要囉嗦那麼多!」閻樂開始不耐煩。

「這樣好了，我願意和諸公子一樣，帶著妻子作平凡百姓。」二世哀求說。

「我是奉丞相命來誅殺足下，以報天下人，你說再多，我也是不敢回報丞相的。」閻樂臉都不轉的向身後城卒喊：「來人，斬了他！」

「不要，不要，」二世搖著雙手說：「留我一點尊嚴，讓我自己來，我到底是你們的皇帝！」

他拔出佩劍放在頸上，兩手顫抖，雖然劍刃割破皮，紅紅的鮮血流了出來，他就是無法要右手用點勁帶動左手，他只得懇求的對身後唯一未逃的近侍說：

「幫幫我，我好痛！」

這名近侍含淚跪下，拜了三拜，哽咽的說：

「臣為陛下送行！」

他站起來，握住二世執劍的雙手一拖，一股血箭噴了出來，二世身子緩緩倒了下來，他以兩手托住。

5

趙高接到閻樂的回報後，立即下令諸大臣公子在朝殿集合，他則帶著隨從至朝殿等候。

令他感到奇怪的是，朝殿上的輪值人員全都走避一空，偌大的宮殿只有他帶來的幾百個人，顯得像曠野一樣的空曠，使人有種荒涼的感覺。

他要隨從人員到後宮中找人，總算拉出幾十個宦者出來站班充數。衛卒、郎中，很多都是他自認爲的親信，也全都逃走了，因爲有望夷宮前車之鑒，他們怕遭到第二次血洗。

這與趙高原先想像中描繪出的場面正好相反。

他腦中預繪的畫面，應該是衛卒歡呼，郎中夾道歡迎，宦者宮女喜極而泣的高呼萬歲。尤其是那些閹者寺人，他們更應該擁戴他，他爲他們闖出一片天來。以往閹人宦者在所有人的心目中，乃是最下賤的族類，全是些犯罪之徒或他們的後裔，在宮中做的是比宮女還低微汚穢的工作。

他趙高卻以閹者做了丞相，爲閹者建立了一個閹者當自強的典範，現在更要做皇帝，要創造自周以來開始有閹人的歷史。

趙高在大殿中轉來轉去，時而望一望金碧輝煌的皇帝寶座，他在心裡想——這些衛卒、郎中、侍中和宦者，全是些笨蛋，難道不明白他趙高當了皇帝，內宮的人會更揚眉吐氣？

他在想——也許應該根本廢除閹人這個制度。怕後宮淫穢？一般富貴人家還不是姬妾成群，也用了一大堆僮僕？也許在現行的體制下，他就皇位後，應該規定文武百官中，閹人應佔一定的比例，一來可以鼓勵閹人上進，二來也可以鞏固他的勢力，說什麼他和他們是同類，應該互相支持和擁護。

應召的這些大臣公子久久不來，他的脚也轉酸了，信步走上寶座，身佩皇帝密璽，密璽在手，他就是眞正的皇帝！

他坐上寶座，身體太小，就像猴子蹲在駿馬上一樣，書案太高，他只能露出一個頭，看看自己怎麼也不像一個君臨群臣的皇帝。

忽然，整個宮殿在搖動，又發生地震了，關中地區這幾年來地震接連不斷。殿中武士、侍中、侍郎全亂奔起來找地方躲避，一點都不像始皇在世的樣子，地震時，磚塊瓦片掉在頭上，都沒有人敢動一下。

在他們心目中，根本沒將趙高當作皇帝！

大殿整個在搖動，似乎隨時會倒下來。頂上琉璃瓦竟有震碎的，牆上出現裂痕，樑上灰沙紛紛下落。

「㑚娘賊的，才完工不久的宮殿就會這樣，偷工減料太凶了，我……朕一定要幾個人頭！」他狠狠的罵著。

但他再一想，修建阿房宮，他自己就是總監工，各類材料的大包商全是直接向他接頭的，這次他得到的油水可不少，一般富人家幾十輩子也賺不了這樣多！

他想到這裡再也罵不下去。

餘震還在繼續，他開始考慮要不要找個地方躲一躲，譬如說躲在書案底下什麼的。但他再想想，他是皇帝——至少是馬上要做皇帝的人，不應該在群臣和宮人面前示弱，他應效法始皇，泰山崩於前，面不改色，飛蝗似的箭雨中，談笑自若。他自己和別人都這樣說過，這才像個皇帝。

接著又是一陣強震，連寶座都搖動起來，他一個坐不穩，頭撞在書案角上，昏迷了過去。

6

在半昏迷中，他看到半空中出現始皇的臉，龍眉倒豎，長目横睜，滿臉憤怒，他用狼音豺聲吼著說：

「趙高，你對朕做的好事！」

聲音就像霹雷，在空曠的大殿中激盪，震耳欲聾。

趙高嚇得立即跪倒，全身像篩米般顫抖，叩頭如搗蒜，口中還連連喊著：

「陛下饒命，這不能完全怪趙高！」

「不能怪你，那要怪誰？」始皇沉聲叱喝。

「怪我，怪我，全怪奴婢！」這時趙高明白抵賴也沒有用，鬼神明鑒一切，跟鬼神還有什麼好抵賴的。

「哼，」始皇冷哼一聲又問：「趙高，你想當皇帝？」

「奴婢不敢……」趙高又再接連叩頭。

「朕南征北討，花了十多年的工夫才一統天下，你卻想一朝就從一個懵懂無知的小子手中奪去，天下有這樣便宜的事嗎？」始皇怒極反笑的說。

「奴婢不敢，奴婢不敢！」趙高只說得出這句話。

「你也不想想，」始皇以極其刻薄的口吻說：「你少了那一點，還能做皇帝嗎？你用什麼來君臨四海，找什麼女人來爲你母儀天下？」

「奴婢不敢，陛下饒命！」

「朕才不屑殺你，自有殺你之人！」

始皇狂笑著消失在空氣裡。

7

「丞相醒醒！丞相醒醒！」有個近侍搖醒了他。

「剛才地震很大？」

「很大，很大，」這名近侍順著他的口氣說：「宮中有很多地方的宮室震垮，咸陽民間又不知道會變成什麼樣子！」

「嗯，」他對民間的災情不感興趣：「朕……本相召集的人來了沒有？」

近侍猶豫了一下回答說：

「該到的……不，想來的都已經來了！」

趙高伸頭由書案看過去，只見到十幾位大臣公子稀稀落落的站在朝殿中間，能坐萬人的大朝殿，十幾個人眞像滄海一粟。

「傳他們上殿！」趙高對近侍說。

「陛下……」

趙高聽到他這樣喊，先是心頭大喜，但想到始皇憤怒的臉，連忙糾正他：

「丞相宣眾臣上殿。」

「丞相宣眾臣上殿！」這名近侍擔任傳宣多年，第一次喊丞相宣眾臣，真是怪彆扭的。

十多個大臣公子來到書案前行禮，趙高因爲太矮，坐在高大書案後面講話太不舒服，他只得站起來說話。

他先宣佈誅殺二世的經過，注意到這些人臉色冷漠，一副事不關己的樣子，他暗暗高興，看來此舉並沒有引起眾怒。但再一看幾個擁有兵權的大臣都沒有來，包括衛尉在內，他不免有點緊張，再想到始皇憤怒的臉，他最後只有硬著頭皮說：

「今本相爲天下誅殺暴虐不道的二世，當然有責任爲秦立主。但秦本來就是王國，因始皇滅六國統一天下才稱帝，現六國都已復立，秦地只剩下原來的領土，空自稱帝，名不副實，沒有什麼意思，因此，本相宣佈，秦復爲王國，皇帝復稱爲秦王，而立公子嬰爲秦王，大家有什麼意見？」

「丞相英明！」十幾個人一起恭身答應。

「胡亥暴虐無道，不得稱帝，他的遺體宜以黔首之禮，葬於杜南宜春苑中，不得歸葬祖陵，各位有什麼意見？」

「丞相所見聖明，胡亥不夠資格以王禮安葬！」眾臣一致同意。

就這樣，趙高和十多個公子和大臣，台上台下一唱一答，就決定了國體和君王人選。

散會後，趙高立即將「宗室及大臣會議」的決議書和子嬰當選秦王的消息連同國璽，派人送給公子嬰，並要他齋戒五日後，進行告廟就任典禮。

8

幼公主來到公子嬰府中，公子嬰將她迎入密室。

她自始皇駕崩安葬驪山後，即自動請求住在蘭池行宮，也就是原來皇后厝棺槨之處。由於皇后與始皇合葬驪山，行宮空了出來，而且地方偏僻，二世沒有長住的興趣，於是他乾脆作人情，將該處行宮送給她，改稱爲幼公主府。

她一下車見到子嬰，先致道賀之意，跟著就要行君臣大禮。子嬰連忙將她攔住，反而是他行了晚輩之禮。他苦笑著說：

「小姑，別作弄姪兒了！這兩天道賀賓客盈門，全都是前來拉關係謀職位的，眞想不到姪兒這個庭院僅夠旋馬的寒舍，一下就堆積了這麼多的車水馬龍，家中僕人又少，眞是忙壞了妳那姪媳婦。」

「大王千萬別這樣說，」幼公主堅持要用君臣的稱呼：「天下爲二世皇帝和趙高弄亂了，正等著陛下來收拾！」

子嬰只嘆了口氣，沒有再說什麼。

進入密室，兩人分賓主坐下後，子嬰摒退了所有僕婢，要兩個兒子見過幼公主。原已在室內的宦官韓談，也起立拜見幼公主。

五人坐定以後，子嬰長嘆一聲說：

「趙高叛逆無道，弑殺了二世皇帝，本意是想篡位，如今忽然又要傳位給我，不知道他到底打的什麼主意？」

幼公主笑笑，她指指韓談，要他來說，他正是當天站在趙高身後的那名近侍，從頭到尾，整件事情他都看得非常清楚。

韓談即席向兩人行禮，恭敬的說道：

「地震那天的情形，小人已向公子報告過，幼公主恐怕還不清楚，讓小人再簡要說一遍。」於是將那天趙高如何佩璽上殿召集群臣，如何只有十幾位公子及大臣應召等等事情簡要的說了。

當然他未提到趙高在昏迷中見到始皇的事，因爲他看不到始皇，而趙高將這件事看成是奇恥大辱，不會跟任何人講。

幼公主聽了韓談的話，又考慮了一會，才緩緩的說：

「情況非常明顯，趙高是怕群臣反對，他明目張膽的繼位會遭到討伐，所以只有將陛下請出來。不過，我另外從別處得到一個消息，說是他已經和楚的沛公劉邦約好，將秦的宗室完全清除，由他和劉邦分地而治。」

「小姑從哪裡得到的消息？」子嬰大驚。

連韓談也搖頭嘆氣，大罵趙高喪心病狂，為了權位，不惜與外人勾結。

幼公主笑了笑說：

「我雖然生活在偏遠的蘭池，遠離權力中心，卻沒有一日不擔心國事，不管怎樣，你想逃離政治，政治絕不會放過你，遲早會找到你的頭上。陛下你原來不也是不想過問政治？誰會想到今天陛下竟成了這股政治漩渦的中心，所以我一直不放鬆對外界情況的了解。」

「我自己也沒想到，趙高將這個吞不下去的燙嘴山芋，竟丟給了我！」子嬰還是作苦笑狀。

「所以依我的判斷，趙高可能會採取兩種行動。」幼公主又說。

「哦，哪兩種？」子嬰問。

「一個是讓你來當傀儡，暫時穩住群臣，然後等楚兵進關到達咸陽以後，以楚兵之力對付陛下和宗室。」

「那第二種呢？」子嬰追問。

「第二種行動，就是趁你告廟祭祖的當天就加害陛下！」

「眞的？」子嬰震驚失色的說：「依小姑判斷，哪種行動的可能性比較大？」

「那要看這幾天他對掌兵權的大臣整合得怎麼樣。」幼公主仍然臉帶微笑。

「依小人看，他採取第二種行動的可能性比較大！」韓談在一旁插嘴說。

「爲什麼？」公子嬰和幼公主同時驚問。

「因爲據小人所知，衛尉目前已表態效忠趙高，虎賁軍都尉也是如此，趙高答應將他們兩人提升爲將軍。」

「要是這樣的話，當然採取第二種行動的可能性較大！」幼公主點頭說：「因爲趙高以秦王的身份和楚軍談判，對他有利得多。」

「那我要怎麼辦？」公子嬰平日對政治毫無興趣，只知閉門讀書，研究農耕及園藝之學，想用這方面的知識來造福農民，遇到這種情形，難怪他驚惶失措。

「那很簡單，」幼公主笑著說：「你不需要去投他的羅網，要他來投你的好了。」

「要怎樣做？」子嬰問。

「稱病，讓他來探你的病，他來了，就不讓他走出房門！」幼公主輕描淡寫的說。

接著他們商量了一些行動細節，連在旁始終未說話的子嬰兩個兒子也笑了起來。

9

趙高一點也沒有將公子嬰放在眼裡。

自秦廢除封建制度後，公子只是別人對他們的稱呼，其餘的生活條件與一般黔首無異，他們也必須靠祖業或是自己工作，才能養家活口。

他趙高平白無故的要他當王，他應該感激他，因此，他對他不存一點戒心。

聽說他齋戒五天後就病倒，禮貌上他不能不去問一下病，怎麼說，他都是他一顆重要的棋子。

正如幼公主所判斷，他準備就在告廟祭祀的那一天，找個藉口將他和集合的秦宗室一網打盡，省得零零碎碎不太好找。

他只帶了少數侍從來到子嬰府中，看到他家寒酸的樣子，他只有輕視沒有猜疑。

他按照覲見的禮儀報門而進，將所有的侍從都帶進了內院，但到堂上時為子嬰的長子子起所擋住。子嬰長子向趙高行拜見長輩之禮，趙高開始上來就有三分歡喜，再看這孩子長得身材修長，龍眉鳳眼，舉止中節，極有氣度，神似他的父親子嬰，趙高更增加了七分好感。

但想想告廟那天，這個年輕人就要和那些平日作威作福的宗室大臣一起玉石俱焚，他心中有了點惋惜。

子起行禮後，婉轉說道：

「家嚴病重，經不起這麼多人的打擾。」

趙高看了身後的十多名侍衛，不禁心裡好笑，這點人要是放在他丞相府中，可說是看不到人，但現在放到子嬰家裡，的確顯得太擁擠嘈雜。

他恍然大悟的笑著說：

「賢姪說得不錯，那就教他們留在這裡吧！」

子起恭敬的在前面倒退著帶路，趙高只帶了一名隨從進入堂內。

子嬰次子子昂早就在臥房門口迎接。

表面上不得不顧及體制，趙高將唯一的隨從也留在臥房門外，他踏進房門，先行了個禮，口中稟奏說：

「聞得陛下龍體欠安，老臣趙高探病來遲，還望恕罪。」

躺在床上的子嬰，以微弱的聲音回答說：

「丞相不必多禮，請上前談話。」

早有女婢將一副錦墊放在床前，趙高坐下後又問：

「明日爲太卜選定告廟就位大典良辰吉日，不知陛下還能勉強支持否？」

「當然支持得了。」子嬰掀開帷帳坐了起來，臉色紅潤，說話中氣十足，哪有一點病樣？趙高看到事情不對，口中大喊來人，手上忙著拔劍，只聽到門外慘叫一聲，他明白那個劍術高超，能夠敵對數十人的親信隨從已經遭到暗算，而他的劍還未拔出，一道冰涼的劍鋒已經貼在他的頸子上，韓談此時從帷帳後出現。

他裝作鎮靜的責問子嬰：

「老臣擁立陛下，一片苦心，爲什麼陛下恩將仇報？」

子嬰微笑不語。只見帷帳那頭走出一位年輕女子，她神情肅然的問道：

「那你自己又怎樣向先帝和蒙毅交代？」

耳聽提到始皇的名字，眼見幼公主突然間出現，趙高臉色刹時變得蒼白，他明白這下是玩完了，他緊閉嘴唇，不再說話。

「趙高，」幼公主憤怒的說：「爲人應該感恩圖報，雖然你先父對嬴家有恩，但始皇在世時，對你也報答夠了，以一介奴僕之子，位極人臣，尤其是二世皇帝對你信任依賴，有如父師，你也忍心對他如此？」

趙高自知今日必死，他反而變得憤激起來，他尖聲怒吼。

「嬴家對我恩重？」他的憤激一轉爲悲傷：「將我弄得這樣不男不女？我早就發誓要將這筆帳加十倍、加千百倍的還在嬴家子孫身上！」

「那是帝太后一個人的事，於我們這些無辜的嬴家子孫有什麼關連？」坐在床邊的子嬰開始說話：「將他綁起來，交廷尉發落。」

「不，百足之蟲死而不僵，打蛇不死，反遭其殃，這是趙高你的名言，」幼公主冷冷的說：「爲了避免夜長夢多，韓談，將他斬了！」

韓談一揮劍，趙高慘叫一聲未完，頭已落地。

外院趙高帶來的侍從，也早爲埋伏的宦者所解決。

10

子嬰第二日按照預擇的良辰吉日告廟繼位，仍稱爲秦王。

他在朝殿中宣佈誘殺趙高的經過，大赦天下，並不追究眾大臣與趙高勾結的經過，以免株連太多，又得興起大獄，群臣和民眾全都稱讚秦王子嬰仁厚。

趙高及閻樂則夷三族。

他並下詔，二世皇帝以天子之禮改葬。

這件事還未著手辦理，武關方面一日數次報警。

原來沛公用張良之計，派出酈生和陸賈，用重利買通武關秦守將，然後再發動奇襲，一舉攻佔武關，在藍田和秦軍進行了一場決戰，將秦軍擊潰，就此再沒有阻攔，兵如破竹似的直指咸陽。

張良見沛公進軍順利，已有驕態，他趕快建議說：

「諸侯起兵，進展神速，並不是因爲兵強馬壯，或是將領有超過秦將的才能，全是因爲暴秦行苛政日久，失去了民心，所以主公應以代天弔民伐罪的心情收攬民心，才能得到民眾的協助，直搗咸陽。」

「安民的工作我不太會辦，子房，你就全權處理罷！」

於是張良透過劉邦下令全軍——

敢任意殘殺無辜民眾者，斬！

敢取民間一草一木者，斬！

敢姦淫婦女者，斬！

劉邦的軍隊本就是以一些流氓無賴爲基幹，再加上一些散兵游勇和降卒所組成的雜牌軍。他們作戰並不是爲了什麼遠大理想，有的是爲了塡飽肚子，有的乾脆就是想發財，要他們不姦淫擄掠，眞比要叫老虎看到肉不吃更難。

劉邦這道嚴命下達以後，根本沒有人理會，連領軍的一些下級軍官都認爲辦不到，因爲劉邦本人就是個好財貪色的大酒徒。

但張良組織了執法隊，在戰場和後方巡邏，遇違犯者立即處決，上級並受到連坐處分。幾次下來，全軍都有了戒心，再加上張良斬了幾名縱容部屬燒殺擄掠的將領，全軍上下震驚，明白這道嚴令不只是說著玩玩的了。

於是，劉邦部隊所到之處，全是秋毫不犯，雞犬不驚，相對的也越來越受民眾的歡迎。每到一處，民眾都紛紛搶著來勞軍。

另外，每新攻佔一個地方，張良就用劉邦的名義召集地方父老，訂定簡單的約法三章：「殺人者死，傷人及盜者抵罪。」其他苛雜秦法一律廢除。

這樣一來，秦國民眾莫不額手相慶，秦國軍隊更戰無鬥志。

子嬰只當了四十六天秦王，劉邦軍就進入了咸陽。

11

秦王子嬰元年，沛公劉邦先諸侯軍攻到咸陽，他先不進城，而是約秦王子嬰到霸上投降。

秦王子嬰事實上不是不想抵抗，而是和當年秦軍入侵齊國一樣，連御前作戰會議都召開不起來，文臣武將全都跑光了。

在毫無選擇的情形，他只有按照劉邦規定的時間和地點去請降。

那天一大清早，他就素車白馬，頸子上套著象徵鎖鍊的白布條，穿著單薄的白袍，跪候在軹道地方的道路旁，等著劉邦的駕臨。

他手上捧著沉重的天子玉璽，旁邊有一包兵符和派遣使者傳令的節。

十月，冬天已經開始，道路旁的草木都蒙上了厚厚的霜，小河也已結冰。他回頭看看身後跪著的十幾個家人，全是和他一樣畏縮著頸子，全身冷得發抖。

是從哪一代開始立下這個規矩，投降的君主必須穿刑衣、戴刑具，跪伏在路旁？

也許他該維持君主的尊嚴自裁，但一死百了，他會看不到這場戲的落幕。

自祖父始皇征服六國開始，他就是這場悲劇的旁觀者，他看到秦國滅亡別個國家時，祖父、朝中大臣以及全國民眾的舉國狂歡，如今又看到自己國家被別人所亡時的沮喪和悲痛。

這場高潮迭起，大起大落的悲劇，勝利狂歡時，他只是個徹頭徹尾的旁觀者，從來未捲入過。他一直讀他的書，研究他的農耕和園藝，整天腦子裡想的是如何使麥子更能抗寒抗旱，如何使瓜變得更大一些。

但最後命運的網羅找上了他，不知不覺的，心不甘情不願的，竟來主演這場時代大悲劇落幕時的主角。

劉邦帶著他的人從路那頭出現了，說實話，他率領的這批人馬眞的不怎麼樣，沒有統一的制服，有的穿著擄獲自秦軍的甲冑，光鮮明亮，在朝陽下閃閃發光；有的仍舊穿著在田裡做工的操作服，補了又補，縫了又縫，全身上下都是補丁。

他們大聲笑鬧，咒罵，幾乎並不將各級長官、甚至是劉邦這個統帥看在眼裡，一點都沒有軍隊應有的肅穆之氣，倒像是一群朝山拜神的遊客。

就是這支烏合之眾的雜牌軍，竟擊敗了素以軍紀嚴明、驍勇善戰聞名的秦軍？

爲什麼歷史一再重演？以前六國君主一直納悶，爲什麼他們看來軍容極盛的軍隊，老是遇到光頭赤脚的秦軍，就像如湯潑雪一樣，不溶自化？現在倒過來輪到他問這個問題！

劉邦騎著馬，帶著隨從過來，沒有按照應有的禮節，下馬來向他慰問，只命從人從他手中接過玉璽，自地上收起符節，沒有問過他一句話。

他只用鄙視憐憫的眼神看著他，口中卻在和別人討論他的生死，就像主人討論如何處置一條失去工作能力的老牛。

「殺掉算了。」一名身材魁梧、神情威猛的武將說。

「不錯，留下總是個麻煩。」旁邊很多人附和。

劉邦看了看旁邊一位書生模樣的文臣，後者搖了搖頭，於是劉邦裝模作樣的說了：

「懷王所以派遣我先入關，乃是因爲我度大能容，現在人家既然已投降，還要殺人家，不是好事！」

劉邦說完話，看他一眼就走了。

他被收進咸陽廷尉大牢。

12

劉邦率領他那批雜牌軍進入咸陽，他和他的部下首次大開眼界，看到了夢寐已久的花花世界，眞的像是「叫花子吃死蟹」——隻隻都是好的。

在舉行過入城式，享受過萬民跪地迎接的愉悅後，劉邦參觀了壯麗宏偉的阿房宮，坐上了朝殿的寶座，就賴著不想走。他對張良說：

「既然已進來了，就在這裡安置吧！」

張良還沒來得及回話，劉邦的侍衛長樊噲卻大聲吼著說：

「主公，我不贊成留居此地！」

「爲什麼？」劉邦不悅的問。

「這裡美女如雲，各種享受設備全有，只怕主公帶頭，諸將和眾士卒都跟著這樣做，你爭我奪，說不定爲了爭財寶、搶女人，先就自相殘殺起來，到時候管都管不住。」

「張良，你看如何？」劉邦轉臉問張良。

「主公，現在一切都未安定，要享受，來日方長，」張良不急不徐的說：「尤其是據報，項羽正率領著大軍往函谷關而來，雖然按懷王約，先入關者爲王，但項羽並不是個肯爲盟約所約束的人，我們不能不預作應變準備。」

劉邦無語，臉上仍充滿了留戀不捨的神情。忽然，他想起什麼似的問左右說：

「蕭何呢？」

「他忙著去收秦藏的天下戶籍資料去了。」左右有人如此答覆。

劉邦驀然驚醒，向張良說：

「我聽你們的意見，還軍霸上，秦宮和府藏全部加封條，等候項羽來時，再一同處理吧！

還軍以前，我們還有什麼事要做的？」

「召集地方首長及父老，宣佈我們的『約法三章』。」張良高興的回答。

於是劉邦召集了地方父老及意見領袖至朝殿集合，他宣佈說：

「各位鄉親父老，人民受秦苛法嚴刑的痛苦已經太久了，如今應該全部廢去，我只跟各位約法三章：『殺人者死，傷人及盜者抵罪。』其餘官吏、職務工作一切照舊。劉邦此次來，是爲秦國百姓謀福利，不會有所侵犯，所以請各位父老轉告民眾不要害怕，而我的軍隊立刻還駐霸上，等待諸侯軍全部到達後，再商量善後問題。」

接著，他又要諸官吏派人到各縣鄉傳達這項信息。

於是秦人大喜，爭著帶牛羊酒食來勞軍。劉邦又一一推辭說：「糧倉的糧食多，不要各位破費。」

秦人更加高興，唯恐劉邦當不上秦王離去。

但沒過多久，項羽帶著他的部隊來了，像暴風雨一樣，殺子嬰，火焚阿房宮，咸陽大火，接連燒了三個月都沒有完全撲滅，劉邦也被逼撤離。

秦人的希望完全落空。項羽和劉邦的「楚漢相爭」，又是另一場悲劇的開始。

尾聲

咸陽外，涇水旁，兩座新墳並排陳列，墓前還殘留著祭奠的酒漬和紙錢灰，香還沒有滅，細小的蠟燭卻已燃盡，變成灑地的紅淚。

蒙武留戀不捨的徘徊在兩座墳之間，不時用手摸摸墓上的石塊，他嘆口氣對齊虹說：

「總算完成心願，將他們弟兄倆遷移到我們的身邊，不要一個在東，一個在西，祭掃起來都不方便。」

「他們兄弟在地下也好有個伴，」齊虹體貼安慰的微笑說：「你為秦國付出的夠多了。」

「白髮人送黑髮人，本來是人世間最大的悲哀，但再想想，也就沒什麼了，人只要活得好，不必活得久。死要死得光榮痛快，不要死得屈辱，受盡折磨！」

蒙武感觸的說了很多。

蒙武和齊虹都已老了，躬耕的結果，蒙武的臉變得黝黑，上面佈滿皺紋，手掌長滿了老繭。齊虹也已白髮蒼蒼，昔日的姣好容顏已逝。

但他們恩愛的感情，一如在齊國相遇時。他們日夜相伴，四目相對時，仍然會發現對方的眼神裏，充滿關愛和熱情，誰說愛情會隨著年齡減退？

「可惜我沒有幫你生個一兒半女的。」齊虹惋惜的說。

「妳現在還感到無子的寂寞嗎?」蒙恬眞心關切的問。

「寂寞?不!」齊虹笑著打趣說:「有你這麼一個老兒子,就已經夠我煩了。」

「眞的,生兒養女有什麼好,從生下來就爲他們煩,一直要煩到自己的眼睛閉上。」蒙武一半是說眞的,一半也是爲了安慰齊虹的愧疚,齊虹在別的事上看得開,獨獨對這件事一直耿耿於懷。

蒙武撫慰的握住她的手說:

「蒙恬五子三女,蒙毅三子二女,這麼多的孫兒孫女,妳還嫌不夠吵?再過幾天,他們都要集合到這裡來祭墳,我們的那幾間茅屋恐怕不夠住。」

「好在只住幾天,不然眞得蓋新的屋子,」齊虹點頭說:「以前在齊國,只怕房子沒人住鬧狐鬧鬼,沒想到也有怕房子住不下人的一天。」

「妳還留戀在齊國的那種生活?」

「不,回想起來,那段生活像地獄,現在像天堂!」

「東南邊戰火正熾,那裡才是眞正的地獄!」蒙武長長的嘆口氣說。

「依你看,這次劉邦和項羽的天下之爭,誰會贏?」齊虹好奇的問。

「我們說好不談政治的。」蒙武抗議。

「但這不是談政治，是打賭。」齊虹笑著說。

「妳賭誰贏？」蒙武問。

「我說項羽氣概蓋世，劉邦一副老奸巨猾像，我喜歡項羽。」

「妳是說項羽會贏？」蒙武也笑著說：「那妳就輸定了，天下本來就是屬於臉厚心黑的人所有，誰能奸猾誰就贏！」

「我是說喜歡項羽，並不是賭他會贏。」齊虹爭辯說。

「兩個人的看法一樣，還有什麼賭好打！」蒙武裝著有點生氣。

齊虹牽起他的手，指向西邊天際說：

「太陽快下山了，我們回家吧！」

蒙武若有所思的自言自語：

「嬴秦這個酷烈的太陽西沉了，明天又會升起一個什麼樣的太陽？」

〔全書完〕

戰國群雄圖

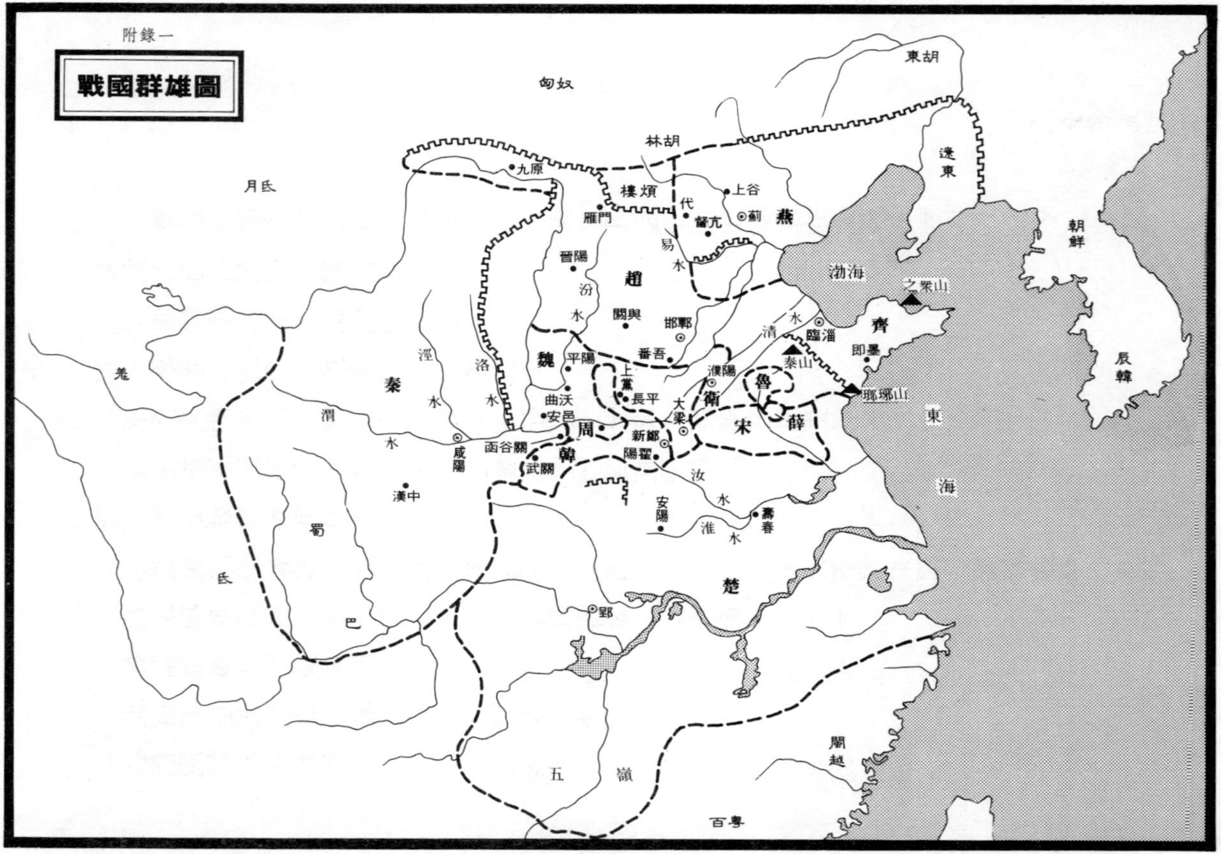
匈奴
月氏
東胡
林胡
九原
樓煩
雁門
代
上谷
薊
督亢
燕
易
水
遼東
朝鮮
辰韓
渤海
之罘山
齊
臨淄
即墨
清
水
泰山
瑯琊山
東
海
晉陽
趙
汾
水
閼與
邯鄲
番吾
魏
平陽
上黨
長平
曲沃
安邑
濮陽
衛
大梁
魯
宋
薛
周
韓
新鄭
陽翟
武關
函谷關
咸陽
秦
涇
水
洛
水
渭
水
漢中
羌
氐
蜀
巴
汝
水
安陽
淮
水
壽春
楚
郢
五
嶺
百粵
閩越

秦代郡守圖

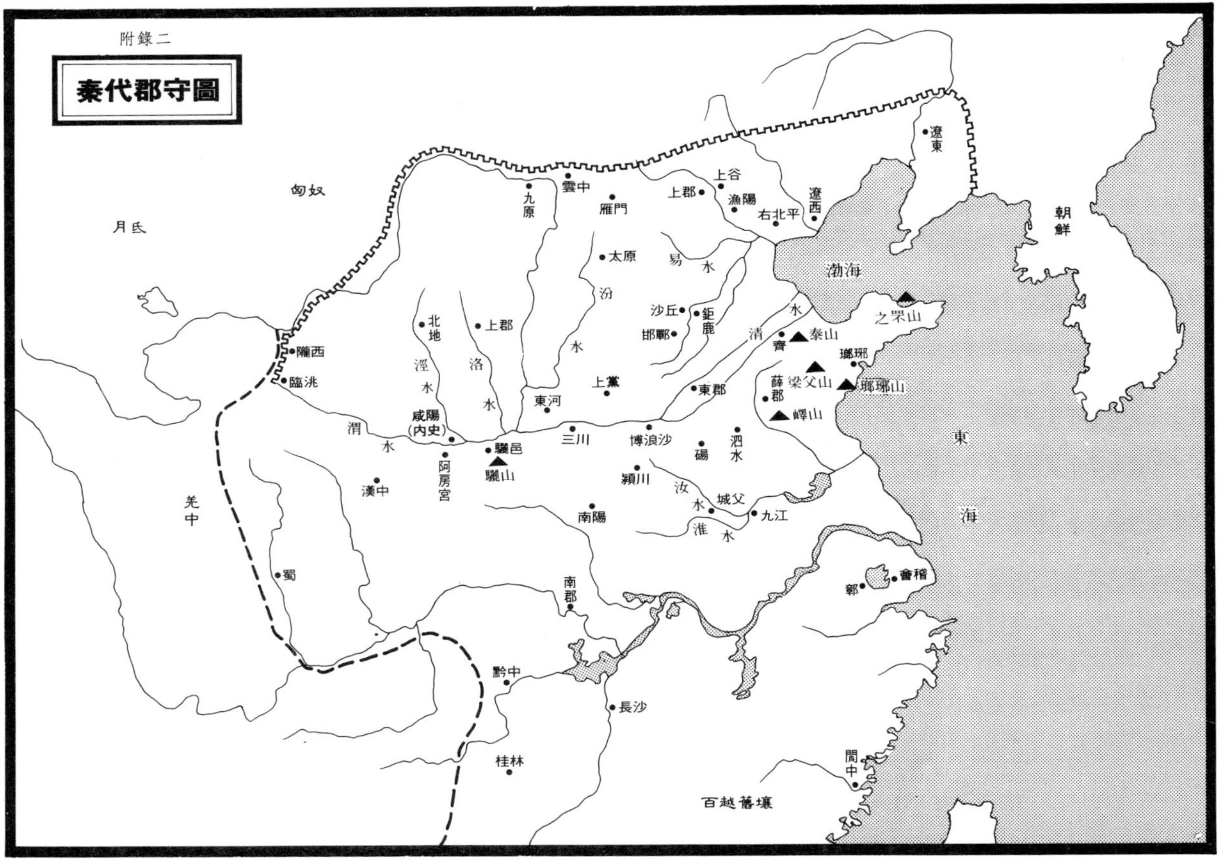

匈奴
月氏
羌中
朝鮮
渤海
東海
百越舊壤
隴西
臨洮
北地
上郡
九原
雲中
雁門
太原
上郡
上谷
漁陽
右北平
遼西
遼東
涇水
洛水
汾水
易水
清水
渭水
咸陽(內史)
阿房宮
驪邑
驪山
漢中
蜀
東河
上黨
三川
博浪沙
沙丘
鉅鹿
邯鄲
東郡
齊
泰山
之罘山
瑯琊
瑯琊山
梁父山
薛郡
嶧山
碭
泗水
潁川
汝水
城父
淮水
九江
南陽
南郡
黔中
長沙
桂林
會稽
鄣
閩中

附錄三

秦世系表

秦之先為嬴姓，其後分封，以國為姓，有徐氏、秦氏、郯氏等十餘姓。

秦嬴生秦侯。

秦侯在位十年卒，生公伯。

公伯在位三年卒，生秦仲。

秦仲在位二十三年卒，生莊公。

莊公在位四十四年卒，立弟襄公。

襄公在位十二年卒，生文公。

文公在位五十年卒，生靜公。

靜公不享國而死，生憲公。

憲公在位十二年卒，生武公、德公、出子。

出子在位六年，遇刺，武公立。

武公在位二十年卒，立德公。

德公在位二年卒，生宣公、成公、繆公。
宣公在位十二年卒。
成公在位四年卒。
繆公在位三十九年卒，生康公。
康公在位十二年卒，生共公。
共公在位五年卒，生桓公。
桓公在位二十七年卒，生景公。
景公在位四十年卒，生畢公。
畢公在位三十六年卒，生夷公。
夷公不享國，生惠公。
惠公在位十年卒，生悼公。
悼公在位十五年卒，生刺龔公。
刺龔公在位三十四年卒，生躁公，懷公。
躁公在位十四年卒。
懷公在位四年自殺，孫靈公立。

靈公在位十年，生簡公。

簡公在位十五年，生惠公。

惠公在位十三年卒，生出公。

出公在位兩年，自殺。國人立獻公。

獻公在位二十三年卒，生孝公。

孝公在位二十四年卒，生惠文王，其十三年始都咸陽。

惠文王在位二十七年卒，生悼武王。

悼武王在位四年卒，葬永陵。

昭襄王在位五十六年，生孝文王。

孝文王享國一年，生莊襄王。

莊襄王在位三年，生始皇帝。

始皇帝在位三十七年，葬驪邑，生二世皇帝。

二世皇帝在位三年，葬宜春。

自秦襄公正式列諸侯，至二世共六百一十歲。

附錄四

秦始皇帝年表

秦昭王四十八年正月　始皇出生於趙國邯鄲，名趙政。

秦昭王五十六年　始皇及母回秦國。

始皇帝元年　始皇年十三登秦王位。

秦擊取晉陽。

作鄭國渠。

始皇帝三年　蒙驁擊韓，取十三城。

王齮死。

始皇帝四年　七月，天下蝗蟲爲害，百姓納粟千石，則拜爵一級。

始皇帝五年　蒙驁攻取魏酸棗二十城，初置東郡。

始皇帝六年　五國聯軍攻秦。

始皇帝七年　彗星現北方及西方。

夏太后薨。

蒙驁死。

始皇帝八年　嫪毐封長信侯。王弟長安君成蟜擊趙，反，死屯留。

始皇帝九年　彗星現整日。

嫪毐爲亂，戰咸陽，處以車裂之刑。所有門客流放去蜀。

彗星復現。

始皇帝十年　相國呂不韋免。

齊、趙王來會，置酒。

太后返咸陽。

大索嫪毐同黨。

始皇帝十一年　呂不韋就國河南。

王翦攻鄴及閼於，取九城。

始皇帝十二年　發四郡兵助魏擊楚。

呂不韋自殺。

准嫪毐門客流放蜀中者返回。

始皇帝十三年　桓齮定平陽宜安。

韓派韓非來使，李斯毒害死。
韓王請爲臣。
始皇帝十五年　興軍至鄴，軍至太原，攻取狼孟。
始皇帝十六年　置驪邑。
發兵受韓南陽地。
始皇帝十七年　內史騰攻韓，生俘韓王安。
盡取韓地置潁川郡。
華陽太后薨。
始皇帝十九年　王翦滅趙，虜趙王遷於邯鄲。
帝太后薨。
始皇帝二十年　燕太子丹使荆軻刺秦王，不成，荆軻車裂以徇。
王翦率兵伐燕。
始皇帝二十一年　王賁擊楚。
始皇帝二十二年　王賁滅魏，生俘魏王假，盡取其地。
始皇帝二十三年　王翦、蒙武擊破楚軍，俘其王負芻。

楚將項燕在淮南擁立昌平君爲楚王。

始皇帝二十四年　王翦、蒙武破楚，項燕及昌平君自殺，楚亡。

始皇帝二十五年　王賁攻燕，虜燕王喜，滅燕。

又擊得代王嘉。

始皇帝二十六年　蒙恬、王賁擊齊，虜齊王建，初併天下，立爲皇帝。

五月，天下同歡，秦王賜酒。

始皇帝二十七年　更命河水（黃河）爲德水。

爲金人十二。

命名民眾曰「黔首」。

厲行車同軌、書同文，及統一度、量、衡制度。

始皇帝二十八年　開始興建阿房宮。

始皇東巡，至泰山封禪，北登瑯琊。

始皇帝二十九年　張良率力士刺始皇於博浪沙，誤中副車。

天下各郡縣大索十日。

始皇帝三十一年　更命臘月爲「嘉平」。大賜黔首，每里米六石，羊二。

微行蘭池遇盜，帝受窘，大索二十日。

始皇帝三十二年　始皇巡視北邊，自上郡回。

始皇帝三十三年　始皇遣諸逃亡流民、經商失敗商人及贅婿攻略陸梁，置桂林、南海、象郡等三郡，發配謫放人員實邊。

西北取戎地為二十四縣。

築長城河上。

蒙恬將兵三十萬擊胡並經略北地。

始皇帝三十四年　發配治獄欠公正官吏築長城。

始皇帝三十五年　築九原通甘泉直道。

始皇帝三十六年　徙民北邊，隕石落東郡，上刻文「始皇死後地分」。

始皇帝三十七年　十月，始皇巡行會稽、瑯琊，歸途經沙丘崩。

子胡亥立為二世皇帝。

李斯丞相及中車府令趙高矯詔賜扶蘇及蒙恬死。

二世元年　十月戊寅大赦罪人，十一月為兎園，十二月阿房宮建成。

九月郡縣皆反。楚兵至戲城，章邯將其擊退。

出衛君角爲庶人。

二世二年　將軍章邯，長史司馬欣，都尉董翳追楚兵至河。

誅丞相斯、去疾及將軍馮劫。

二世三年　趙高反，二世自殺，立二世兄子子嬰。

子嬰立，刺殺高，夷三族。

諸侯入秦，嬰降，爲項羽所殺。

後五年，楚漢相爭，漢王劉邦殺項羽，統一天下。

國立中央圖書館出版品預行編目資料

秦始皇大傳／李約著，--初版，--臺北市；
實學社出版：吳氏總經銷，84
冊；　　公分--(小說人物；1-5)
ISBN 957-9175-01-2(--套；平裝)
ISBN 957-9175-07-1(一套；精裝)

857.7　　84000813